Dope Story

Du même auteur

Le Clan Hilton, Éditions Logiques, 2003.

Robert Frosi

Dope Story

Dix ans de dopage-réalité

Préface de Marie-France Bazzo

Les Éditions
LOGIQUES
QUEBECOR MEDIA

Catalogage avant publication de Bibliothèque et Archives Canada

Frosy, Robert

Dope story : dix ans de dopage-réalité

ISBN 2-89381-914-1

1. Dopage dans les sports. I. Titre.

RC1230.F76 2005   362.29'088'796   C2005-941777-3

Mise en pages : Édiscript Enr.
Graphisme de la couverture : LOSMOZ

Les Éditions Logiques remercient le Conseil des arts du Canada, la Société de développement des entreprises culturelles du Québec (SODEC) du soutien accordé à leur programme de publication. Nous reconnaissons l'aide financière du gouvernement du Canada par l'entremise du Programme d'aide au développement de l'industrie de l'édition (PADIÉ) pour nos activités d'édition.

Gouvernement du Québec – Programme de crédit d'impôt pour l'édition de livres-gestion SODEC.

Les Éditions LOGIQUES
7, chemin Bates, Outremont (Québec) H2V 4V7
Téléphone : (514) 270-0208 Télécopieur : (514) 270-3515

Distribution au Canada
Québec-Livres
2185, autoroute des Laurentides, Laval
(Québec) H7S 1Z6
Téléphone : (450) 687-1210
Télécopieur : (450) 687-1331

Distribution en Belgique
Diffusion Vander
avenue des Volontaires, 321
B-1150 Bruxelles
Téléphone : (32-2) 761-1216
Télécopieur : (32-2) 761-1213

Distribution en France
Casteilla/Chiron
10, rue Léon-Foucault,
78184 Saint-Quentin-en-Yvelines
Téléphone : (33) 1 30 14 19 30
Télécopieur : (33) 1 34 60 31 32

Distribution en Suisse
TRANSAT SA
Distribution Servidis s.a.
Chemin des Chalets
CH-1279 Chavannes-de-Bogis
Suisse
Téléphone : (022) 960-9510
Télécopieur : (022) 776-3527

©Les Éditions Logiques inc., 2006
Dépôt légal : premier trimestre 2006
Bibliothèque nationale du Québec
Bibliothèque nationale du Canada
ISBN 2-89381-914-1

Table

« Les scandales sont comme les trous aux chaussettes. On ne s'en inquiète pas tant qu'on est le seul à en connaître l'existence. »

BERNARD HALLER

Portrait chinois de Robert Frosi

Soyons ludiques. Frosi aime le sport, Frosi aime le jeu. Le portrait chinois consiste à parler de quelqu'un à travers des mots improbables, d'en faire un portrait risqué et impressionniste. Ça peut devenir un sport extrême...

S'il était un sport, par exemple, que serait Robert Frosi? S'il était un sport, il serait le soccer, qui exige des joueurs du souffle, de la constance; un jeu inspiré et fluide, qui se déploie sur tout le terrain, où chaque match raconte une histoire.

S'il était une vitesse? Ce serait celle de la course de fond. Rien à voir avec ces fulgurants sprints qui vous font retrancher 2 nanosecondes au record du monde, le cœur qui cogne comme un malade. Non, il aurait la foulée souple mais obstinée, le rythme régulier de celui qui sait que le chemin est long, mais que le but en vaut la peine, et que les détours, les imprévus et les buvettes au bord de la route font partie de la course.

S'il était une description de match? Il aurait le ton mi-débonnaire, mi-sérieux à mort des joyeux drilles qui racontent le Tour de France à la radio, dans la chaleur touffue de juillet, qui s'emportent et s'énervent dans la montée des cols de catégorie 4, connaissent toutes les anecdotes, savent évoquer la souffrance, le doute, décrire l'échappée héroïque, soupçonner le tricheur au détour d'un virage. Il se fâcherait, exagérerait, inventerait des superlatifs, l'auditeur serait au bout de son souffle. Il manierait la mauvaise foi comme pas un, et à la ligne d'arrivée on y croirait, on y était, je vous jure, ça sentait la sueur quand le peloton est passé...

S'il était une drogue? Frosi serait une drogue dure: la parole. Il serait l'envie d'expliquer, la passion de raconter, de témoigner, de faire vibrer l'auditeur, de poser des questions, pas toujours les «vraies questions», mais celles, plus modestes, qui font émerger les réponses plus sincères.

S'il était un score? Assurément 7 à 5. Un pointage qui parle de jeu ouvert, le contraire de la trappe. Un résultat qui suppose des passes généreuses, des jeux inventifs, des remontées héroïques, des buts que les témoins se racontent encore, deux ou trois championnats plus tard...

Mon copain Frosi s'intéresse au monde du sport dopé depuis des années, au-delà de l'anecdote sensationnaliste ou du cas de l'athlète adulé pris la main dans le sac et le nez dans la fiole. Au fil des entrevues, il a appris à manier la langue des scientifiques avec les plus grands spécialistes, a accueilli les confidences de sportifs brisés, terrés loin des flashes et de la lumière des stades.

Inquiet, renseigné, parfois enragé, jamais naïf, il débusque l'hypocrisie, ose le doute, propose de nouvelles pistes de réflexion.

Il aime le sport, c'est sûr. Mais il aime surtout ces hommes et ces femmes qui ont aimé le sport au point de se défoncer pour lui, qui s'y sont brûlé les ailes et l'âme. Il raconte bien. Il fait œuvre utile.

Si Robert Frosi était une équipe sportive? Il serait Les Intrépides d'Ahuntsic. Ailier gauche et champion marqueur des Intrépides...

MARIE-FRANCE BAZZO
octobre 2005

Introduction

Au moment où vous lirez ces lignes, la France et les États-Unis seront peut-être à feu et à sang ; une longue guerre ayant pour origine la défense du héros. En effet, il y a quelques mois, des chercheurs français ont découvert des traces d'EPO, un produit dopant utilisé dans le monde du sport, dans les urines du septuple vainqueur du Tour de France, Lance Armstrong. Loin de moi l'idée d'entrer dans les détails de toute cette affaire, je dirais seulement que tous les moyens sont bons pour démasquer les tricheurs, même si l'éthique est légèrement écorchée au passage. Le coureur cycliste texan crie au complot, au coup monté. « Les Français n'aiment pas les vainqueurs » répète-t-il sur tous les tons. Il jure devant Dieu que jamais il n'a pris de produits dopants. Tout cela me rappelle de triste mémoire l'affaire Festina et un certain Richard Virenque. Le coureur français sur qui pesait alors une suspicion de dopage s'effondrait en larmes, criant au complot et jurant ses grands dieux que jamais il ne s'était dopé. Quelques jours plus tard, il s'effondrait de nouveau en larmes devant le monde entier, regrettant de s'être dopé et demandant pardon à tout ceux à qui il avait menti.

Il n'est pas question ici de juger, mais de comprendre pourquoi toute cette hypocrisie crasse, alors que vous allez découvrir dans ce livre que le dopage, dans la tête des athlètes, n'existe pas.

Pour les cyclistes, on explique cela en disant qu'« il faut faire le métier ». Pour d'autres, c'est un engrenage infernal ou un incontournable.

Comme Carl Lewis, Tim Montgomery, Marion Jones ou Barry Bonds, Lance Armstrong se rajoutera à la longue liste des athlètes qui auront inévitablement leur nom accolé à celui du mot dopage.

En 1990, les poussières de l'affaire Ben Johnson commençaient à peine à retomber. Je ne savais pas encore que le monde du dopage sportif allait devenir une partie intégrante de mon travail journalistique. À l'époque, le journaliste qui osait aborder le sujet faisait figure de paria. Il était celui qui allait cracher dans une soupe dont je ne connaissais pas encore tous les ingrédients. Le coup de téléphone d'un avocat montréalais allait être le déclencheur, le moteur de ma curiosité pour le phénomène.

Lors de ma première rencontre avec cet avocat, il fut question d'une étrange, voire rocambolesque histoire, celle d'un Chinois qui revendiquait le titre de laborantin dans les officines chinoises de contrôle du dopage. Le transfuge réclamait des autorités canadiennes le statut de réfugié politique. Il craignait pour sa vie, car il dénonçait le dopage systématisé, étatisé, institutionnalisé de toute l'élite sportive chinoise. Dans les transcriptions de cour dont j'ai pris connaissance, il racontait les manipulations de flacons, les préparations des athlètes pour passer à travers les mailles du filet des contrôles et les menaces incessantes, envers lui et indirectement envers sa famille, d'un régime qui lui intimait de se taire sous peine de représailles. Dans ses déclarations devant les officiers de l'immigration, le transfuge chinois se disait catastrophé de ce qui pouvait arriver à sa femme et à sa fille, si on ne les protégeait pas avant qu'il ne passe aux aveux.

Je n'étais pas encore rattaché à la Direction de l'information de Radio-Canada, mais j'ai néanmoins commencé un travail d'investigation qui dépassait largement le cadre de mon affectation quotidienne. Les recherches sur Internet n'étaient pas aussi élaborées à cette époque. Trouver des preuves de la dissidence de cet homme étaient presque mission impossible. Même le très officiel *Quotidien du peuple* n'était pas encore en ligne ! C'est vous dire que les cyber-dissidents n'avaient pas l'ouverture qu'ils ont partiellement acquise aujourd'hui, quand ils ne sont pas arrêtés ou leur site complètement détruit par un quelconque Commissaire du peuple à la culture.

Le correspondant permanent de Radio-Canada en Chine, Patrick Brown, allait me venir en aide entre deux reportages. Quelques traces prouvaient que le laborantin n'avait pas complètement tort. Mais mes recherches demandaient trop de temps pour sortir l'histoire et je n'ai jamais su ce qui était arrivé à cet homme aux propos explosifs.

Toutefois, cela marqua le début de mon intérêt passionnel pour le dopage dans le monde du sport. Les réflexions géopolitiques, médicales, économiques, sociales, humaines que cet univers m'offrait sont devenues l'une des bases essentielles de ma démarche journalistique.

Ce livre ne se veut pas un traité sur le dopage, pas plus qu'un résumé exhaustif du sujet. C'est plutôt un voyage au gré des rencontres de ces rares témoins qui font aujourd'hui en sorte que le sujet ne soit plus tabou, mais devienne plutôt objet de réflexion.

Les témoignages recueillis sont désespérants de vérité. Que ces gens soient repentis, tricheurs, acteurs, scientifiques, chercheurs, médecins, toxicomanes…, tous ont accepté volontairement de témoigner pour que, comme dans d'autres temps, « meure la bête immonde ».

La véracité, la franchise, la maladresse, la retenue de leurs propos n'a, à mes yeux, que fait grandir ces personnes qui ont, pour un moment, accepté d'arrêter le temps pour partager un passage de leur vie avec nous. Je veux enfin remercier la Direction de l'information de la radio de Radio-Canada qui m'a permis d'explorer cet inquiétant, mais à la fois extraordinaire, monde du dopage.

Petite histoire du dopage

«DOP» était autrefois le nom donné à une eau de vie consommée par les Africains pour entrer en transe durant les fêtes religieuses. C'est en 1889 que le mot *doping* entre officiellement et pour la première fois dans un dictionnaire anglais pour désigner un mélange d'opium et d'anesthésiants administré aux chevaux. En 1903, *Le Petit Larousse illustré* le définira comme l'emploi d'excitants pour les courses de chevaux. En 1950, la définition se fera plus précise. Toujours dans ce même *Petit Larousse*, on parle cette fois d'absorption de stimulants pouvant modifier ou exalter certaines propriétés avant de se présenter à un examen ou à une épreuve sportive.

De tout temps donc, l'homme a cherché à se dépasser, à améliorer ses performances, et ce, souvent par des moyens artificiels. Les premières notions de dopage se retrouvent dès l'Antiquité. Pas besoin de fouilles archéologiques, ni de recherches intensives dans les vieux manuscrits pour s'en convaincre, il suffit de se plonger dans l'*Iliade* et l'*Odyssée* d'Homère; les exemples ne manquent pas. Le premier athlète qui ose briser le silence – qui n'est pas encore l'omerta –, c'est Milon de Crotone, l'un des plus légendaires athlètes de l'Antiquité. Ce lutteur, à la force exceptionnelle, est l'un des rares athlètes à avoir participé à six Jeux olympiques et à remporter six titres. On le disait tellement fort qu'il défiait n'importe qui à son jeu favori. L'auteur grec Pausanias dit de lui dans *Le Tour de la Grèce, L'Élide*, livre V : «On raconte aussi de lui, au sujet de la grenade et au sujet du disque, qu'il tenait une grenade dans sa main de telle manière, qu'on ne pouvait ni la lui ôter, la lui faire écraser et que debout sur un disque huilé, il se jouait des efforts de ceux qui se jetaient sur lui et le poussaient pour l'en faire sortir. »

Au VIᵉ siècle avant J.-C., Milon de Crotone affirmera que les athlètes grecs utilisaient différentes viandes pour améliorer leurs performances. Pour les sauteurs, la viande de chèvre, tandis que les boxeurs et les lanceurs de poids préféraient la viande de taureau. Les lutteurs, eux, se délectaient de viande de porc. Cette invention du régime carné est soulignée par Pausanias, encore lui, dans son fameux *Tour de la Grèce*, livre VI :

« Dromeus est un homme de Stymphale qui emporta le prix de la course du "Dolichos" à Olympie, deux à Delphes, trois dans l'Isthme et cinq à Némée. On dit que c'est lui qui imagina le premier de se nourrir de viande : jusques-là du fromage nouvellement égoutté avait été la nourriture des athlètes. »

Au Iᵉʳ siècle, le questeur Pline le Jeune rapporte que les coureurs de fond de la Grèce antique utilisaient des décoctions de prèle (sorte de jonc) pour se contracter la rate afin de courir plus longtemps.

Le dopage s'est donc raffiné avec le temps. Si, dans les jeux de l'Antiquité, les Grecs avaient trouvé des vertus dans la viande rouge, les Égyptiens et les Latins préféraient l'opium. Suivant les régions du monde, ce fut aussi le chanvre, le ginseng, les feuilles de coca, la caféine.

Au début du XXᵉ siècle, les milieux hippiques inspireront les apprentis sorciers de toutes sortes ; héroïne et morphine passent rapidement des chevaux aux hommes. Après, le rythme s'emballe. On passe allègrement de la strychnine à l'éphédrine et à d'autres formes de stimulants.

L'*American coffee*, un mélange de noix de cola, de caféine, de strychnine et d'arsenic, fera ses premières victimes.

La strychnine, qui est purement et simplement de « la mort aux rats » causera le premier décès en 1896 ; le Gallois Arthur Linton y laissera la vie, mais on préférera lui attribuer la raison officielle : fièvre typhoïde. On retrouve des traces de la strychnine bien plus tard lors des Six jours du Forum à Montréal, en 1936. Un ancien coureur cycliste de l'époque, qui a couru avec le célèbre

Torchy Peden, m'a confié que plusieurs coureurs italiens, mais aussi l'Australien Reginald McNamara en abusaient allègrement durant la compétition. « Les coureurs étaient à un tel point excités qu'il fallait les descendre de force du vélo pour qu'ils arrêtent de pédaler et les amener vers un repos qui, de toute manière, était toujours trop court à cause de l'effet des produits. » Les exemples comme ceux-là sont malheureusement légion.

Le célèbre journaliste Albert Londres relate dans son article, désormais célèbre, intitulé « Les forçats de la route », les drames des cyclistes et notamment celui des frères Henri et Francis Pellissier. Les deux frères viennent d'abandonner le Tour de France de 1924 lorsqu'ils rencontrent Albert Londres :

« Vous n'avez pas idée de ce qu'est le Tour de France, c'est un calvaire. Et encore, le chemin de croix n'avait que 14 stations tandis que le nôtre en compte 15. Nous souffrons du départ à l'arrivée. Voulez-vous savoir comment nous marchons ? Tenez… » De son sac, Francis sort une fiole : « Ça c'est de la cocaïne pour les yeux, ça, c'est du chloroforme pour les gencives… et des pilules ! Bref, dit Francis nous marchons à la dynamite. »

Henri renchérira en disant : « Ce que nous ne ferions pas faire à des mulets, nous le faisons… Un jour viendra où l'on nous mettra du plomb dans les poches parce qu'on trouvera que Dieu a fait l'homme trop léger. »

Cette sortie des frères Pellissier n'arrêtera en rien les pratiques dopantes. En 1926, toujours sur le Tour de France, on découvrira le vin Mariani, plus communément appelé « Le vin des athlètes ». C'est un produit à base de feuilles de coca fraîches que les coureurs emmenaient lors des plus longues étapes pour prévenir les coups de pompe.

LES AMPHÉTAMINES

La Deuxième Guerre mondiale sera une autre étape dans la « sophistication » de l'utilisation des produits dopants. Ce qu'on appellera très ironiquement « l'effort de guerre » sera prétexte à toutes sortes d'expérimentation. Il faut à tout prix découvrir de nouveaux moyens pour rendre les soldats plus performants face à l'ennemi. Durant le conflit, 72 millions de comprimés de benzédrine (amphétamine) seront distribués aux contingents britanniques, notamment aux pilotes de la Royal Air Force pour les aider à lutter contre la fatigue. Pour expliquer rapidement les effets des amphétamines, on peut dire que les muscles sont excités, les bronches dilatées, la sensation de fatigue est repoussée et le taux de sucre augmente dans le sang. Évidemment, tous ces effets « bénéfiques et rentables » seront rapidement subtilisés par les sportifs.

En 1948, à l'issue d'une course d'athlétisme, le grand Emil Zátopek a d'étranges comportements. Au fil d'arrivée du 10 kilomètres des Jeux olympiques de Londres, il est dans un tel état d'excitation qu'il jette une chaise en direction des officiels avant d'aller se réfugier dans les vestiaires. Celui qu'on surnomme « la locomotive tchèque » vient de dérailler ; on soupçonnera à l'époque la pervitine, une amphétamine très répandue chez les coureurs de fond.

En 1967, la 13e étape du Tour de France entre Marseille et Carpentras connaîtra un terrible drame. À deux kilomètres du sommet du mont Ventoux, l'Anglais Tom Simpson s'effondre. La fatale combinaison d'amphétamines et de déshydratation a eu raison du coureur britannique.

Deux ans plus tard, au célèbre Tour d'Italie, le Giro voit l'un de ses champions déchu. Le grand cycliste belge Eddy Merckx, surnommé « le cannibale » tant il dévorait ses adversaires, est déclaré positif au réactivan, une amphétamine. Mais l'hypocrisie du monde cycliste fera son œuvre. Le champion belge sera condamné à un mois de suspension et l'affaire fera tellement de bruit que l'Union cycliste internationale lui donnera le bénéfice du doute et lèvera sa suspension. Quatre semaines plus tard, il prendra le départ du Tour de France.

LES ANABOLISANTS

Le dopage hormonal prendra le relais avec les fameux anabolisants. La théorie des Grecs, qui voyaient dans la viande animale un supplément d'énergie, va s'étendre à celui censé se concentrer dans les testicules. Un scientifique testera même cette hypothèse, il s'agit du Mauricien d'origine américaine Charles

Edward Brown aujourd'hui considéré comme le père de l'endo-crinologie. Le médecin chercheur se lancera, dans les années 1890, dans un programme sur le vieillissement et le rôle ralentisseur que l'hormone mâle serait susceptible de jouer dans ce processus. Charles Edward Brown s'injectera à six reprises des extraits de testicules de chiens et d'autres animaux cobayes de son labora-toire. Le chercheur va constater une nette augmentation de sa vigueur sexuelle.

Quarante ans plus tard, on isolera l'hormone mâle et les sportifs se jetteront à corps perdu sur cette nouvelle trouvaille. Les athlètes de l'Union soviétique et de l'Allemagne de l'Est vont ins-titutionnaliser ce type de dopage. Tout le monde se souviendra de ces nageuses est-allemandes au corps d'homme disproportionné, à la pilosité excessive et à la voix rauque.

L'ancien entraîneur d'aviron de l'ex-Allemagne de l'Est, Eberhard Mund, me confiera un jour que les centres d'entraî-nement de l'époque regorgeaient de médecins aux expérimen-tations humaines plus que douteuses. D'ailleurs, en 1998, plusieurs entraîneurs et médecins du club de la Stasi, le Dynamo de Berlin, seront poursuivis pour blessures corporelles sur des enfants et des adolescents. Lors des témoignages des victimes, le biologiste moléculaire Werner Franke témoignera en parlant de ce qu'elles ont vécu : « des expériences qu'on n'autoriserait pas sur des cochons d'Inde. »

Le cas de la nageuse et médaillée d'or à Séoul, Birte Weigang, est pathétique. Un an après sa médaille olympique, on découvre qu'elle est atteinte d'un grave vieillissement osseux prématuré. Il faut dire que les « petites pilules bleues » qu'elle prenait dans le plus grand secret depuis l'âge de 16 ans contenaient de l'oral-turinabol, un puissant stéroïde anabolisant. Dès lors, une femme pouvait lever quatre fois plus de poids qu'à l'accoutumée.

Le plus haut responsable des sports de l'époque, Manfred Ewald, condamné puis décédé en 2002, dira en guise de réponse à ceux qui lui parlait de la musculature démesurée des nageuses et de leur voix grave : « Elles ne sont pas là pour chanter, mais pour nager. »

Le spécialiste du dopage en ex-Allemagne de l'Est, le docteur Klaus Zoellig, a enquêté et a découvert dans les documents de la

Stasi, l'ancienne police secrète de la RDA, que les entraîneurs pouvaient repérer, grâce à des prises de sang, les jeunes filles de 12 ans dont le foie était apte à supporter des anabolisants de toutes sortes. Le spécialiste rajoute qu'environ 10 000 athlètes ont été victimes du dopage systématique de l'État entre la fin des années 1960 jusqu'en 1989. Plus de un millier d'entre eux sont atteints de maladies graves provoquées par la prise de produits dopants : maladies génitales, dérèglements hormonaux, tumeurs au foie... En 2003, une délégation d'athlètes dirigée par l'ancienne championne d'Europe de natation, l'ex-Allemande de l'Est Karen Koenig, aura gain de cause contre le Comité olympique allemand dans un procès retentissant.

Évidemment, quand on parle d'anabolisants, de stéroïdes, de muscles atrophiés, on pense immédiatement à Ben Johnson et aux Jeux olympiques de Séoul. Le 24 septembre 1988, le 100 m est parcouru en 9 s 79 ! Une vitesse proche des 44 km/heure de moyenne. La planète vient de découvrir l'homme le plus rapide du monde. Né en Jamaïque, neuvième d'une pauvre famille de 10 enfants, Ben Johnson ne souffle pas encore ses 10 bougies que toute la famille s'envole vers sa terre d'espérance, le Canada.

À 16 ans, « petit Ben » pèse 40 kg pour un petit mètre soixante. Mais déjà un homme remarque la vitesse de ses départs. Il s'agit de Charlie Francis qui subviendra complètement à ses besoins, allant jusqu'à le nourrir et le vêtir. En 1984, petit Ben est métamorphosé. Il arbore une musculature qui déjà dépasse l'entendement. Il terminera troisième du 100 m dans l'indifférence générale. Car, à l'époque, tout le monde n'a d'yeux que pour le grand Carl Lewis qui vient de récolter sa quatrième médaille d'or olympique.

Trois ans plus tard, Rome et ses Championnats du monde sonneront l'heure de la revanche pour le petit Jamaïcain devenu Canadien. Non seulement, il bat Carl Lewis, mais se dote du record du monde ! Le 24 septembre 1988 sera sa courte apothéose. Sur la ligne de départ, toute une brochette d'athlètes piaffent d'impatience, dont Lindford Christie, Calvin Smith et bien sûr Carl Lewis. Au coup de départ du starter, Johnson bondit comme à son habitude dans son couloir numéro 6, coincé entre Calvin

Smith à gauche et Desai Williams à droite. Dès les premiers 40 mètres, il a un dixième d'avance sur Lewis, presque deux aux 80 mètres. Il fixe la ligne d'arrivée comme s'il était aspiré par elle. Dans les 20 derniers mètres, il ne concède aucun terrain ; avant même de franchir la ligne d'arrivée, Johnson lève déjà son bras en l'air en signe de victoire, il vient de pulvériser son propre record du monde, laissant derrière lui trois athlètes sous la barre des 10 secondes. Du jamais vu !

Certains statisticiens affirment que le geste de Johnson avant de franchir la ligne lui aurait valu de perdre 4 centièmes de seconde. Qu'importe.

Le samedi fantastique fera rapidement place au lundi noir. «Big Ben» comme on le surnomme sera sonné. Le verdict de l'antidopage emmené (déjà à l'époque) par le docteur Christiane Ayotte du Laboratoire de contrôle du dopage de l'INRS-Santé de Pointe-Claire, en banlieue de Montréal, est sans appel : les urines du champion olympique contiennent du stanozolol, un anabolisant. Le roi canadien du 100 m devient le paria jamaïcain et quitte Séoul pour New York. Comme la plupart des grands athlètes pris la main dans le sac, il ne regrettera jamais son geste, synonyme de gloire éphémère.

Le plus cynique de l'histoire c'est que 25 ans plus tard, Carl Lewis, qui avait hérité de la médaille d'or olympique, avoue qu'il avait été contrôlé positif en juillet 1988, lors des sélections américaines. C'est l'ancien directeur du service antidopage du Comité olympique américain qui a éventé toute l'histoire. Wade Exum a rendu public 30 000 pages de documents qui montrent que le Comité olympique américain avait étouffé une centaine de cas de dopage entre 1988 et 2000. Carl Lewis, l'homme aux 9 médailles d'or et aux 10 titres mondiaux, descendait à son tour de son piédestal.

D'autres affaires dont nous parlerons plus tard ne feront que mettre au jour la réalité d'un certain athlétisme américain.

Après l'ère des anabolisants (quoiqu'elle n'est pas tout à fait terminée… aux derniers Jeux olympiques d'Athènes, 10 haltérophiles et des lanceurs de poids se sont fait prendre aux anabolisants ; ce qui fait dire au docteur Gérard Dine que les 21 athlètes pris à Athènes venaient de pays défavorisés avec de vieux produits en guise de dopants), l'heure de l'hormone de croissance, des autotransfusions sanguines et de la fameuse EPO, qui facilite artificiellement le transport de l'oxygène dans le sang, a sonné. Nous y reviendrons dans les témoignages de quelques utilisateurs et trafiquants.

Chaque sport a sa dope préférée. Les sports qui requièrent de la force musculaire, comme l'haltérophilie et l'athlétisme, iront vers le dopage hormonal. Les sports d'endurance, comme le cyclisme, le marathon, le football, choisiront l'EPO et les transfusions sanguines.

Le golf et le tir iront naturellement vers les bêtabloquants qui permettent une meilleure stabilité dans le geste.

LES COCKTAILS MAGIQUES

Chaque sport a son dopage. L'athlète, l'entraîneur, le médecin, le soigneur se transforment alors en chef cuisinier qui apprêtera sa recette. Il adaptera ses savants mélanges en fonction de l'effet escompté. Un effort en montagne et c'est l'EPO ; une course de 100 m et vite les anabolisants, un parcours de golf, à moi les bêtabloquants. Voici quelques-un des cocktails magiques avec leurs effets et leur méfaits.

Hormone de croissance et stéroïdes anabolisants
(IGF-1, nandrolone) :

Sports : athlétisme, boxe, cyclisme, haltérophilie…

Effets : augmentation importante de la masse musculaire, renforcement de la résistance à la douleur.

Dangers : cancers, hypertension, diabète, infarctus…

Bêtabloquants et stimulants (propranolol et cocaïne) :

Sports : tir, natation, tennis, hockey, bobsleigh, sport automobile, ski, golf…

Effets : amélioration de la stabilité émotionnelle, de la concentration. Suppression du trac et ajustement des réflexes.

Dangers : insuffisance respiratoire, hypoglycémie, agressivité…

Corticostéroïdes et autres stimulants (clenbuterol et éphédrine):

Sports: aviron, sprint, gymnastique, lancers du poids, disque, marteau, javelot...

Effets: amélioration de la fonction respiratoire, croissance musculaire, atténuation de la sensation de fatigue...

Dangers: tachycardie, infections virales, ralentissement de la fonction cardiaque...

Dopage sanguin et érythropoïétine (autotransfusions et EPO):

Sports: cyclisme, ski de fond, football...

Effets: accroissement de la capacité respiratoire, amélioration de l'endurance et du travail musculaire.

Dangers: thrombose, œdème aigu des poumons, défaillance cardiaque...

Mais toutes ces formes de dopage risquent d'être obsolètes dans quelques mois, car le dopage génétique arrive à grands pas. Déjà des souris transgéniques ont pu voir leur masse musculaire augmenter de 35 % par ces simples manipulations. Nous y reviendrons.

Ils ont osé briser l'omerta

Longtemps le dopage est resté tabou dans le monde du sport. Au fil des époques, bien peu de langues se sont déliées. Et puis, selon les années, les aveux n'ont pas eu les mêmes conséquences.

Dans les milieux scientifiques, on ne s'entend pas non plus sur la définition du dopage. Dans les années 1950, on préférait parler de comportements douteux. Dans les années 1970, on commençait à entendre certains témoignages, comme celui du lanceur du poids suédois Ricky Bruch qui déclarait : « 70 % des athlètes de haut niveau de Scandinavie utilisent des anabolisants. Tous les lanceurs, la plupart des coureurs, comme Viren et Vasala, un très grand nombre de sauteurs comme le perchiste Isaksson en prennent. »

En 1989, le cycliste français Philippe Nicolas confiait dans son livre *Le dopage et la mafia* qu'il avait pris des amphétamines pour gagner la course du quartier.

Puis, il y aura les repentis du scandale Festina, Richard Virenque en tête. Enfin viendront les Erwann Menthéour et autre Jérôme Chiotti. Jérôme Chiotti est un ancien champion du monde de vélo de montagne. Il a aussi cette particularité d'être le seul cycliste de haut niveau à avoir brisé la loi du silence en avouant s'être dopé sans jamais avoir subi un contrôle positif. Après la sortie de son livre *De mon plein gré* (chez Calmann-Lévy), je me suis entretenu avec lui et ses déclarations ont été surprenantes. D'entrée de jeu, il se souvient de son passage aux Championnats du monde au mont Saint-Anne. Il me raconte avec quelle aisance il passera au travers des contrôles antidopage. Comment il deviendra champion du monde dopé !

Il me raconte, non sans une certaine ironie, comment il s'est débarrassé de son surplus de dope. « Je me souviens que la suspicion à l'égard de certains coureurs qui sont montés sur les podiums commençait à s'ébruiter et nous étions tous conscients que les lois canadiennes étaient passablement répressives. On a donc décidé le dernier soir de fêter en grand dans la chambre d'hôtel. Pour se débarrasser de nos doses, on piquait les seringues dans les matelas. On a jamais autant ri. On était dans un tel état euphorique qu'on ne savait plus s'il fallait le mettre sur le compte de l'effet des produits ou sur le fait qu'on avait déjoué tous les contrôles. »

Le champion du monde du mont Saint-Anne me confie aussi avec quelle facilité déconcertante lui et certains de ses coéquipiers avaient mystifié les douaniers pour passer leur fameux produits miracles. Il me raconte comment son univers de dopage était intimement lié à celui de sa profession de coureur cycliste, et ce, dès les premières courses amateurs. « Chaque région a sa mafia, ses chefs, son noyau. Le partage des bourses se faisait avant le départ de chaque course. Les tarifs, les répartitions des gains, tout était planifié. Même la plus petite course de province avait ses règles. Le spectateur n'y voyait que du feu, un sprint reste un sprint dans son esprit, mais moi je savais bien qui devait le gagner. Les contrôles étaient tellement faciles à déjouer que ça en devenait pathétique. Mon dopage a commencé comme tout le monde avec les vitamines, puis les corticoïdes pour finir à l'EPO. »

Les « aveux » de Chiotti ont été dictés par un homme écœuré par l'hypocrisie, la tricherie facile, la réussite qui n'était pas sienne. Mais en même temps, il luttait avec les mêmes armes que les autres. Pour l'aveu de dopage, la Fédération française de cyclisme a été relativement clémente, mais l'Union cycliste internationale, flairant la bonne occasion de redorer son blason avec ce bouc émissaire inespéré, l'a condamné à une suspension ferme.

Que dire alors du vice-champion du monde Philippe Boyer, ce *Champion, flic et voyou*, du titre de son livre publié aux Éditions de La Martinière. Quand je lui pose la question, si c'était à refaire ? « Je le referais, mais plus intelligemment. Tant qu'à se doper, autant se doper mieux que les autres. Ce qui m' a pourri la vie, ce sont les dérives de la dope. À 15 milligrammes près, si je ne m'étais pas trompé de dosage, je serais devenu champion olympique. »

La table est mise lors de ma rencontre avec l'ancien champion cycliste au bord de la piste du vélodrome de Vincennes, situé dans le bois du même nom aux portes de la capitale française. Autrefois, un haut lieu du cyclisme sur piste mondial.

L'ex-vice-champion du monde sur piste me racontera ses années d'errance, passant de pensionnaire au célèbre Institut national des Sports français où, paradoxalement, il apprendra, en plus de son métier, les rudiments du dopage.

« Je rencontrais des gars dans d'autres sports, même des gars qui sont devenus champions du monde, c'était l'École ouverte de la dope. »

Pour continuer son sport en toute liberté, Philippe Boyer entrera, en 1982, dans la police comme gardien de la paix, afin de s'entraîner librement. Gardien d'une paix qui fait sourire celui qui sera sans cesse tourmenté par cette guerre interne qui le tiraille.

La testostérone, les amphétamines, les anabolisants, tout y passera, même une certaine « lichette », savant mélange de cocaïne, d'amphétamines et autres stimulants. « Avec ça, on pouvait s'entraîner comme des fous. Neige, pluie, froid, rien ne pouvait nous arrêter, c'était le soleil sous chaque coup de pédale. »

Il y avait aussi « la fléchette », à peu près le même mélange détonant, mais cette fois c'était la piqûre dans les fesses avant de partir !

Philippe Boyer flottera sur son nuage d'invincibilité, tellement que lors d'un critérium en Colombie, il reviendra avec une coupe, sans savoir qu'elle est remplie de cocaïne destinée à des trafiquants. Il en fera profiter quelques stars des nuits parisiennes.

Mais l'étau se resserrera sur le champion, flic et voyou. Il sera condamné pour trafic de stupéfiants et ira en prison.

« En prison, on a le temps de faire de l'introspection et j'en suis arrivé à la conclusion que si l'on organisait une course avec les gars qui ont triché, ce serait le plus beau plateau du monde. Il n'y a pas une course que j'ai vue à la télévision où je n'ai reconnu quelqu'un de dopé. Si je dois regretter une chose, c'est d'avoir fait confiance à des salauds ! »

Quand je lui ai demandé s'il se considérait comme un tricheur, la réponse ne s'est pas fait attendre : « Le sport n'est pas différent de la société. Les magouilles existent dans le monde, pourquoi le sport ferait exception? Y a pas de mal à se doper, puisque c'est la règle, et puis, je ne suis pas un tortionnaire, ni un dictateur, pas plus que je suis responsable du 11 septembre… Il faut relativiser tout cela!»

L'ancien champion, flic, voyou, m'a donné de ses nouvelles, il n'y a pas si longtemps. Il cherchait un hébergement abordable à Edmonton, pour sa nouvelle protégée du cyclisme qui devait participer à une compétition internationale.

Depuis toutes ces affaires, tous ces «aveux», on dit que les choses sont en passe de se régler. Les limiers des agences mondiales antidopage resserrent de plus en plus leurs mailles de part le monde. Même s'il est vrai que des batailles ont été gagnées, la guerre est loin de l'être! Les responsables du cyclisme ou de l'athlétisme international se targuent d'avoir complètement maîtriser la situation, d'avoir les choses bien en main, que les contrôles sont de plus en plus nombreux et sophistiqués! Les témoignages qui suivront prouvent le contraire. Rien n'a changé!

Rencontre avec Philippe Gaumont

« 10 ans de dopage permanent, c'est 10 ans de stress,
10 ans de piqûres. »

C'est à 1 h 30 de Paris que le cycliste français Philippe Gaumont a accepté de me rencontrer, malgré les conseils de son avocat qui recommandait d'éviter tout ce qui ressemble à un journaliste. Quelques mois avant cette rencontre, Philippe Gaumont faisait partie d'une des plus prestigieuses équipes de cyclisme du monde. L'équipe Cofidis. Médaillé de bronze aux Jeux olympiques de Barcelone, vainqueur des 4 jours de Dunkerque, Philippe Gaumont est un cycliste d'expérience. Au moment de la rencontre, Philippe Gaumont était en procès contre son ancienne équipe.

Le champion cycliste est poursuivi par la justice pour trafic de produits dopants. Arrêté, il refuse de porter seul la responsabilité, il dénonce alors un dopage organisé, institutionnalisé au sein de son équipe. Dans l'entretien qu'il m'a accordé, il explique comment il en est rapidement venu au dopage, système incontournable pour gagner de plus en plus d'argent, pour garder sa place dans l'équipe. Il explique la spirale infernale des produits dopants, toujours plus, toujours plus efficaces, toujours plus dangereux. Il raconte comment il a songé de nombreuses fois au suicide.

Philippe Gaumont s'interroge aujourd'hui sur son rôle de tricheur, sur son milieu, sa descendance également, car il craint toujours que la prise de produits dopants ait des conséquences sur ses enfants…

C'est devant son café en face de la petite gare (nous tairons le nom du village de la Somme) que Philippe Gaumont nous reçoit avec cette mise en garde : « Rien de ce que je vous raconterai ne doit être donné aux journaux, aux radios ni aux télévisions en France. (Entrevue réalisée en 2004, un an avant la sortie de son livre *Prisonnier du dopage*, chez Grasset.) Suivez-moi, on ira à la maison, on sera plus tranquilles. »

Une coquette demeure, synonyme de la réussite du coureur, m'attend. Dans la cour, des vélos d'enfants traînent, dans la maison ce sont les jouets. Curieusement, une valise noire nous barre le chemin, elle porte encore les inscriptions de Cofidis, l'ancienne équipe du coureur. Une preuve que la rupture est encore fraîche, le coureur semble même un peu gêné en la déplaçant. C'est dans un jardin entouré d'arbres fruitiers et de fleurs de toutes sortes que Philippe Gaumont m'invite à m'installer tout en m'offrant de partager une petite bière. La scène semble surréaliste, d'un côté une ambiance conviviale, bucolique accompagnée par des merles chanteurs, de l'autre, un coureur déchu qui passe aux aveux.

Q : Quels souvenirs avez-vous gardé de votre passage dans le cyclisme ?
R : Vous savez, je garde 10 ans de joie d'une carrière sportive, et je crois que j'ai tout gardé, les peines et les joies. Des années très belles, puisque je fais partie de ces gens qui peuvent vivre de leur sport. Moi, j'ai commencé en 1994 dans l'équipe Castorama. Ensuite, dans l'équipe Gan, en 1996. Et enfin, je suis passé depuis sa création dans l'équipe Cofidis, jusqu'au mois dernier. Donc, j'ai remporté quelques belles courses, dans la hiérarchie du cyclisme. J'ai gagné le Tour de Vendée, la Côte Picarde, j'ai gagné les 4 jours de Dunkerque, le Tour de l'Oise, j'ai été trois fois champion de France, j'ai remporté une étape au Midi-Libre, j'ai fait troisième d'une étape à Tours, j'ai participé à trois Tours de France. Voilà, j'ai eu une carrière. Je faisais partie des 10-12 meilleurs Français constamment, malgré quelques pépins aussi au niveau du dopage et sur le plan physique. J'ai eu une fracture ouverte du fémur, en 2001, année où j'aurais pu briller sur le podium. Donc voilà…

Beaucoup de joies, mais aussi beaucoup de désespoirs, surtout question performances. Il y a des jours où on est content de nos performances et il y a des jours où on l'est moins, et il y a toutes ces affaires de dopage…

Q : Expliquez-nous un petit peu cet autre univers qu'est celui du dopage. Vous dites que quand vous êtes arrivé professionnel, ça été un contact quasi immédiat avec le monde de la dope. Vous avez même parlé, à un moment donné, de vos premières arrivées dans le camping-car de l'équipe et de cette espèce de cocktail qui allait devenir presque un rituel initiatique… Comment ça s'est passé ?

R : Je vais vous expliquer tout de suite comment je suis arrivé dans le monde du dopage. C'est très simple. J'ai été médaillé de bronze aux Jeux de Barcelone en 1992, aux 100 km par équipe. De toute mon adolescence jusqu'au moment où j'ai eu cette médaille… – je veux dire… cette médaille je l'ai eue proprement –, jamais je n'aurais imaginé ça. Et en plus, on parlait moins du dopage à l'époque, c'était moins médiatisé. Je ne pouvais pas imaginer une seule seconde ce qui m'attendait et qu'une piqûre, ce qui me faisait tellement peur, allait changer ma vie… Si vous voulez savoir, l'idée de la piqûre m'était insupportable et pourtant… Maintenant je vois une seringue, ça ne me fait plus peur. Donc je suis arrivé dans l'équipe Castorama en 1994. Au bout de 3 ou 4 mois, je me grattais énormément la tête, j'avais du mal à tenir ma place, mon rang. Et un beau jour entre le Midi-Libre et le Dauphiné Libéré, le médecin de l'équipe est tout simplement venu dans ma chambre et m'a dit : « Il faut que je te voie. » Donc je suis allé dans sa chambre et il m'a dit : « Bon voilà, tu fais deux courses successives qui sont difficiles, je vais donc te faire une piqûre de cortisone, qui t'aidera à mieux récupérer. » Donc il m'a donné un kenacort retard, c'est de la cortisone. Et à partir de là voilà. Une fois qu'on est rentré dans le cercle, même si psychologiquement on ne veut pas le faire, on se sent obligé, parce qu'on a des contrats à durée déterminée, donc renouvelables chaque année, voire tous les deux ans. Donc une fois qu'on est rentré là-dedans, on ne fait jamais marche arrière. On est parti et ensuite ça a été 10 ans de dopage permanent.

Q : Alors expliquez-nous de l'intérieur ce que veut dire « 10 ans de dopage permanent » ?

R : Disons que 10 ans de dopage permanent c'est 10 ans de stress, 10 ans de piqûres, 10 ans où vous êtes à la recherche du moindre produit qui peut vous améliorer. Vous améliorer pourquoi ? Parce que qui dit amélioration, dit contrat, dit argent, et qui dit argent dit contrat et contrat dit dopage, qui dit contrat qui dit argent, voilà c'est un cercle vicieux permanent entre l'argent et le dopage et la recherche constante du moindre produit qui peut améliorer de 0,001 %, quoi !

Q : Donc concrètement ça se passait comment ? Vous aviez le nez dans des magazines spécialisés ou vous étiez dans le cercle du dopage, où les gens se parlaient et se disaient : « Tiens j'ai essayé tel truc tu devrais l'essayer… », ou bien c'était le médecin ? Qui était l'initiateur de tout ça ?

R : Il y a deux facettes au dopage. Il y a celle de l'affaire Festina en 1998 et celle après Festina. Donc avant 1998, on parlait librement du dopage et après 1998, on n'en parlait plus du tout. C'était par petits clans. Le dopage, on apprend à le pratiquer. Comment ? D'abord je dirais que les journalistes sont un petit peu responsables aussi… Vous nous donnez les modes d'emploi. Par exemple l'EPO. Quand on a commencé à retrouver l'EPO, on nous a dit : « Voilà, ils le retrouvent trois jours avant », donc on savait qu'en arrêtant quatre jours avant, on n'est plus positif. Ensuite, on apprend par les médecins, par les gens qui essaient et qui nous disent ce que ça leur fait. Et puis il faut savoir qu'il y a des gens qui travaillent constamment pour gagner de l'argent sur le dos des sportifs. Voilà c'est un peu tout ça ce cercle.

Q : Mais qui sont ces gens ? Nous, évidemment, on essaie de l'extérieur de machiavéliser et de se dire : « Oui tout ça est bien orchestré, institutionnalisé. » Le médecin leur dira : « Prends ceci et ensuite prend ça, parce que ça te fera du bien et puis ça, ça atténuera ce produit-là… » Est-ce que c'est ainsi que ça se passe ?

R : Non. En premier lieu, il faut chercher comment ne pas être contrôlé positif, ensuite c'est de trouver les meilleurs produits.

Vous êtes aidé par le médecin, vous êtes aidé par le Vidal. Le Vidal en France c'est une bible du sportif... (intervention du journaliste, «Ça c'est un dictionnaire médical?»). Oui le dictionnaire français. Je me rappelle que j'en ai un dont les pages sont bien usées. Après ce sont des propos échangés entre copains, et on arrive très facilement à ses fins. On se teste, on essaie toutes sortes de trucs et au bout d'un moment on arrive à trouver le bon cocktail.

Q: Donc vous êtes en train de me dire que vous deviez essayer sur vous pour trouver le bon dosage qui allait faire en sorte que vous iriez mieux et que la performance soit au rendez-vous?

R: Oui. Il faut savoir aussi que certains produits peuvent améliorer une personne, alors que sur d'autres, ils auront moins d'effets. Il faut faire sa propre expérience, donc avoir une vision globale du mode d'emploi.

Q: Donc vous deviez rapporter vos essais, dire: « J'ai essayé ça, c'était moins bon... » Y avait-il quelqu'un qui tenait une espèce de comptabilité des réactions de votre corps?

R: Quand je suis arrivé chez les pros et jusqu'en 1998, on en parlait librement au docteur. Lui, son but c'était qu'on ait des résultats. Le reste, il s'en foutait. Donc on en parlait au docteur. Lui, il s'ajustait par rapport aux expériences qu'il avait faites sur d'autres coureurs. En fonction de ça, on arrivait très vite à avoir le bon dosage.

Q: On fait totalement confiance au professionnel qui est là, ou vous vous dites « J'ai juste quatre mois pour performer? » On fait totalement confiance au médecin alors que finalement on ne sait pas ce qui se passe. On peut très bien vous dire: « On vous injecte ça », et on vous injecte autre chose.

R: Oui. Il faut savoir ce qu'est la relation entre un médecin et un coureur. Le médecin n'essayera jamais de tromper le coureur. Pourquoi? Parce qu'il y a l'appât du gain. Quand on ne s'occupe que de sportifs et qu'on peut gagner de l'argent sur leur dos, on travaille dans le même sens, pas dans le sens inverse. Donc effectivement, moi, j'ai déjà eu des piqûres de la part de médecins qui me disaient que c'étaient des piqûres de récupération, après des étapes dans différentes courses. Mais bon! j'ai toujours fait confiance à ces personnes et y en a jamais vraiment un qui m'a plombé.

Q: Si on faisait une énumération de tout ce que vous avez pris en 10 ans de carrière, avez-vous encore le cocktail parfait dans votre tête? Si l'on parle de vos débuts professionnels jusqu'à la fin de votre carrière, vous vous rappelez les produits que vous preniez?
R: Vous savez ç'a commencé par la cortisone, ensuite ç'a été l'EPO, ensuite l'hormone de croissance, la testostérone, les anabolisants, les amphétamines, les somnifères le soir pour dormir, quelques rails de cocaïne dans les discothèques pour les soirées festives, du «pot belge» dans les soirées diverses, les soirées fans club…

Q: Expliquez-nous c'est quoi du «pot belge»?
R: C'est un liquide limpide que l'on s'injecte en sous-cutané ou en intraveineuse. C'est un cocktail d'amphétamines et de caféine. C'est pour les soirées festives, pas pour le sport à proprement parler. Ce sont les dérives auxquelles on peut arriver si l'on n'est pas solide sans sa tête.

Q: Dites-moi, on ne pense jamais que bêtement ça peut faire du tort, que ça peut faire du mal? Sur le plan de la santé, on ne pense jamais qu'un moment donné, on peut se dire: «Je me mets ça, mais peut-être que ça réagira mal», on n'a jamais de telles pensées?
R: Oui, on l'a constamment cette pensée-là! Mais vous savez, il faut savoir que, quand on est sportif, on a quitté les études de bonne heure, et bien souvent on a une famille a élever, donc… Nos épouses non plus, elles ne disent rien, pourquoi? Parce qu'on ne peut pas nous arrêter et parce qu'il faut bien élever sa famille. On y pense, mais on met tout ça de côté.

Q : Est-ce qu'on a des réactions physiques ? Je suppose que votre corps devait réagir à ces différents produits. On dit que certaines testostérones, que certaines prises d'anabolisants rendraient agressif. Vous, votre comportement changeait-il ?

R : Non parce que… Je vais vous expliquer ça brièvement. On peut avoir des changements de comportement avec des stéroïdes anabolisants, au niveau de la testostérone. On peut entendre des fois des gens qui disent : « Oui, il a un testicule qui a explosé… », et tout ça. Mais attendez, dans le sport cycliste, ce sont des microdoses. Nous ne prenons pas des anabolisants comme le fait un mec qui fait du body-building. Ce sont des microdoses et, honnêtement, je n'ai jamais ressenti sur mon corps un effet agressif, un comportement déréglé avec ma femme, ou surexcité sur le plan sexuel. Je n'ai jamais senti dans mon corps de transformation, mis à part, si vous voulez, lors des soirées festives et ce qu'on y prenait.

Q : Vous dites que vous deviez prendre des somnifères, c'était pour quoi ?

R : Les somnifères… C'est simple. On est constamment dans des hôtels. On peut prendre des somnifères parce qu'il y a du bruit dans les hôtels, pour dormir. Quand le cœur a travaillé pendant six heures sur un vélo, le soir en général, quand un corps humain est surfatigué, vous dormez beaucoup plus mal que si c'est une fatigue qu'on peut dire normale. Et c'est pour cela, on prend des fois un somnifère pour le bruit dans les hôtels et pour aussi mieux dormir par rapport à cette surcharge de fatigue.

Q : Philippe, pourriez-vous dire que le dopage était comme l'entraînement, comme la course, partie intégrante de votre profession ?

R : Oui bien sûr ! Ça fait partie du métier. C'est ce qu'on m'a toujours appris quand je suis arrivé dans le milieu professionnel. Se doper fait partie intégrante du métier.

Q : Donc à l'heure actuelle, si je vous comprends bien, un professionnel, pour réussir, n'a pas le choix, de se doper ?

R : Vous savez, vous n'avez qu'à regarder la position des Français au classement mondial et vous comprendrez que, depuis le début de l'année, ils sont en train de dégringoler tout doucement. Pourquoi ? Parce qu'ils doivent mettre un gros frein en ce moment en France… à cause des affaires de dopage et c'est bien, voilà. C'est tout.

Q : Et vous ? C'est intéressant parce que vous dites : « À un moment donné, j'ai arrêté de me doper. » Racontez-nous les résultats.
R : Quand on arrête de se doper, eh bien c'est simple, on est au fond du peloton et puis on suit les mobylettes, c'est tout.

Q : Vous avez dit aussi : « Je me levais et tous les jours j'avais cette angoisse du contrôle, j'avais cette peur d'être pris. » Racontez-nous comment vous viviez avec l'exaltation de la course, la passion de votre métier et en même temps de l'autre côté cette peur d'être pris ?
R : Il y a toujours un stress permanent qui est lié au dopage. Pourquoi ? Parce qu'il faut avoir les produits… alors c'est des coups de téléphone. C'est la peur du téléphone. C'est calculer tout le temps par rapport au lieu où l'on arrive sur la course, parce qu'on arrête… on calcule les délais des produits que l'on prend, le stress aussi, la peur un petit peu pour notre corps et voilà.

Q : Et évidemment je suppose, la peur du contrôle, ou pas du tout ?
R : Ah bien si, la peur du contrôle elle est là ! Même si on prend un produit comme l'EPO et qu'on peut arrêter trois jours avant. Moi je me donnais une marge de cinq jours sur le lieu où j'arrivais, parce qu'on pouvait avoir un contrôle inopiné. Par contre, on pouvait aussi avoir un contrôle inopiné à la maison. Des fois quand on va pisser, même si on a arrêté cinq jours avant, quand on voit l'urine dans l'échantillon partir, on a toujours un petit doute.

Q : Alors racontez-nous comment vous pouviez passer aux travers des contrôles. On nous a raconté plein de choses, à nous,

journalistes : ça y est on a profilé, les filets sont là, sans failles, ou quasiment… Racontez-nous la réalité, celle que vous avez vécue.

R : Je suis très en colère contre les gens qui veulent cacher, défendre leur milieu, en disant : « Voilà aujourd'hui on retrouve tous les produits dopants dans les tests ! » Prenons la cortisone… Et là je vous dis ça en rigolant, tellement c'est facile. Pour la cortisone, demain vous allez voir un allergologue et vous dites : voilà je fais une allergie aux acariens, il me faudrait un spray qui s'appelle le Nasacort (corticoïde qui agit comme euphorisant, antistress, antalgique…) en France. C'est un spray qui contient une molécule du kenacort (corticoïde). Donc à partir du moment où vous inscrivez le spray Nasacort dans votre carnet de l'Union cycliste internationale, vous vous présentez au contrôle et vous dites : « Voilà, je suis allergique aux acariens et je prends du Nasacort. » Et voilà ! On retrouve la molécule dans votre urine mais vous êtes négatif, car vous avez la justification thérapeutique. Toujours pour le même paramètre, vous prenez du diprosone en injection. Avant d'aller voir le dermatologue, vous vous grattez les testicules avec du sel, et vous lui dites : « Voilà j'ai des rougeurs attribuables à ma selle, à ma peau de chamois… » Ok. Il vous prescrit du diprosone, ça vous réussit bien. Vous allez au contrôle et c'est la même chose qu'avec le Nasacort. Pour la testostérone, la pantestone, il suffit de piquer dans la capsule. Vous tirez le produit et vous vous le mettez sous la langue. Le lendemain, vous allez au contrôle et c'est négatif. On dit qu'on retrouvera les transfusions sanguines, mais je me marre… Si je vous prends votre sang et que je me l'injecte dans une semaine (allotransfusion) oui, mais il faut savoir que les sportifs n'utilisent que leur sang (autologue) quand ils se font une transfusion sanguine, donc on ne la retrouvera pas, même si on dit le contraire. Ce qu'ils ne disent pas aux gens, c'est que quand ils retrouvent les transfusions, c'est seulement parce que c'est le sang de quelqu'un d'autre et que celui-ci ne vous a pas dit qu'il prenait d'autres trucs…

Q : Juste une parenthèse avant que vous ne parliez d'autres produits. Quand vous parlez de transfusion sanguine, ça veut

dire que si je poussais la porte de votre chambre d'hôtel lors d'une étape d'une course importante, qu'est-ce que je verrais?
R: Eh bien écoutez, il faudrait que vous tombiez au bon moment et à l'heure qu'il faut…

Q: Eh bien disons que je suis chanceux et que je tombe à la bonne heure…
R: Eh bien, vous verriez une perfusion du sang et puis voilà. Vous verriez un mec en train de faire une perfusion, c'est aussi simple que ça…

Q: Donc à chaque étape vous transformiez vos chambres d'hôtel en chambres d'hôpital?
R: Non attendez, je vous donne un ordre d'idées. Moi, j'en ai jamais pratiqué, mais j'ai beaucoup entendu parler sur ce sujet, et de gens qui y avaient recours. Les transfusions sanguines sur un Tour de France, vous pouvez en faire trois. Alors, il faudrait vraiment être chanceux, à l'heure chanceuse et tout ça. Ensuite, je continue dans la gamme des produits dopants avec l'hormone de croissance, indétectable. L'IGF-1, indétectable.

Q: Racontez-nous ce que fait l'IGF-1.
R: L'IGF-1, je n'y ai jamais eu recours non plus, mais je suis allé voir un médecin au mois d'octobre 2003 qui aurait pu m'en procurer pour l'année 2004. C'est une hormone de croissance bien ciblée. Ensuite, il y a la caféine injectable, on en a parlé tout à l'heure et puis l'EPO, on en a pas parlé. C'est un produit fort, car oxygénateur. Tout ce qui est oxygénateur constitue le meilleur dopant pour les sports d'endurance. Avec l'EPO, on arrête trois jours avant, on n'est pas positif. L'Aranesp et l'EPO retard, on arrête 15 jours avant, on n'est pas positif. Donc qu'ils disent: «Voilà c'est réglé, on trouve tout…», je leur dis bravo. Je suis déjà allé pisser de multiple fois en prenant tous ces produits, sauf l'IGF-1 et les transfusions sanguines, mais tous les autres je les ai pris, dont l'hormone de croissance, l'EPO, la cortisone, la caféine et, malgré tout ça, j'ai jamais été pris positif à ces produits. Donc on retrouve tout, effectivement!

Q: Donc ça veut dire que dans votre métier de cycliste, vous vous êtes fait une sacrée base médicale. Ça vaudrait presque le coup, et là je vous dis cela ironiquement, mais vous pourriez reprendre vos études de médecine, parce que vous avez une bonne base...

R: C'est ce que m'ont dit les policiers quand j'ai été interpellé et qu'on en a parlé. Effectivement, sur le plan médical, j'en connais peut-être plus que certains médecins.

Q: À partir de quel moment avez-vous commencé à vous dire que le jeu n'en valait peut-être pas la chandelle?

R: Le jeu n'en valait pas la chandelle... je ne me le suis jamais dit, à aucun moment!

Q: À partir de quel moment vous êtes-vous dit qu'il allait falloir que tout ça s'arrête?

R: Je ne me le suis jamais vraiment dit. En activité, je ne me suis jamais vraiment posé la question. Oui des fois, quand je me faisais une piqûre et que j'en avais marre, oui effectivement peut-être que je me disais: «J'en ai marre!», mais c'est tout. Ça reste des phrases brèves et c'était temporairement limité dans mon organisme.

Q: Dans votre tête, ça se passait comment, quand vous vous faisiez ces injections? Vous disiez que vous en aviez marre, ça se passait comment? Est-ce que c'était la pratique normale finalement du coureur cycliste ou si petit à petit vous vous disiez: «J'ai l'air de quoi là, j'ai l'air d'un toxico...» Est-ce que ça vous a traversé l'esprit que vous pouviez avoir le comportement d'un toxicomane?

R: Non jamais. Parce que tous les produits que je me suis injectés ce n'était pas de la drogue. À partir de là, je ne me suis jamais considéré comme un toxicomane. Je me suis seulement considéré comme un sportif qui se dopait. Ça, je tiens bien à le signaler. À aucun moment, avec n'importe quelle piqûre que j'ai pu me faire, je ne me suis considéré comme un toxicomane. C'est quelque chose que je refuse totalement de dire. Je ne l'ai jamais pensé. Par contre, oui, je suis comme un sportif qui se dope et qui fait son métier, voilà. Mais c'est vrai que parfois, à la fin de la saison, c'est lourd à faire et il faut savoir que, quand on se dope, on n'a jamais une grande banane (sourire) sur son visage. On le fait parce qu'on est obligé de le faire. Ça, faut bien le comprendre.

Q : Évidemment ça, c'est pendant que vous êtes coureur professionnel, mais vous n'êtes pas coureur professionnel seulement pendant les quatre mois que vous courez ! Vous êtes aussi coureur professionnel quand vous arrêtez votre saison. Alors est-ce que ça veut dire que le dopage continue après ?
R : Non. Il est arrivé des hivers où je ne prenais rien du tout, une fois que la saison était terminée. Mais, bien souvent, lorsque la saison est terminée, c'est des recharges cachées sur le plan des anabolisants. C'est un petit peu de testostérone, un petit peu d'amphétamines dans les soirées festives. Donc quelque part, vous êtes toujours en train de prendre quelque chose. Mais il y avait des hivers où je ne prenais rien du tout.

Q : Est-ce que vous en ressentiez le besoin physique, le besoin mental de continuer ces rituels ?
R : Je vais vous dire quelque chose, n'importe quel professeur, n'importe quel chercheur peut vous dire qu'il n'y a pas d'accoutumance. Moi, ce que je veux faire comprendre aux gens, c'est que c'est psychologiquement que ça joue quand on se dope. C'est sur les cellules psychologiques. Ça joue sur les cellules à l'intérieur de notre corps et pour des améliorations que, des fois, on ne sent pas vraiment. Ça reste un pourcentage très faible, mais je n'ai jamais eu une accoutumance à des produits que j'ai pris. Jamais, jamais. Je peux arrêter du jour au lendemain, comme je l'ai fait là depuis mon affaire. Je n'ai jamais ressenti le besoin d'aller dans mon armoire, prendre une seringue, non au contraire. Je suis content. Je suis content de ne plus faire de piqûres et puis tout cela. Je suis content, mais jamais avec un grand sourire. Je n'ai jamais ressenti le besoin, du jour au lendemain, d'être en manque de produits dopants. Non jamais !

Q : Philippe, vous avez arrêtez le cyclisme. Pourquoi ?

R : J'ai arrêté tout simplement parce que je suis impliqué dans une affaire de dopage en France. Une affaire qui a commencé avec Cofidis, qui a remonté jusqu'à un autre coureur, qui m'a dénoncé parce qu'on a retrouvé chez lui quantité de produits interdits. Moi, je suis intervenu, c'était simplement du dépannage sportif. C'est-à-dire que moi je pouvais lui donner un peu d'EPO et lui un peu d'hormones de croissance en échange. On s'aide beaucoup comme ça dans le milieu du cyclisme, sans en tirer aucun bénéfice sur le plan de l'argent et de la revente. Il a cité mon nom et j'ai été interpellé. On a été interpellés ma femme et moi, alors que je revenais d'une course. Elle était à l'aéroport avec moi. À partir de ce moment-là, on s'est regardés dans les yeux et on s'est dit : « Maintenant ça suffit, on va raconter vraiment ce qui se passe. »

Q : Avant, j'aimerais juste que l'on ouvre une petite parenthèse. Lorsque vous dites : « J'allais voir tel médecin pour telle chose, pour tel ou tel produit », ça veut dire que l'ensemble des gens qui prennent des produits dopants dans le cyclisme connaissent aussi les réseaux, les noms des médecins, des pourvoyeurs, des fournisseurs… Ça fonctionne comme ça ? Il y a des pourvoyeurs, des fournisseurs ?

R : Oui, ça fonctionne par fournisseurs, par pourvoyeurs et par médecins et aussi par des gens qui réussissent à nous avoir des produits tels que l'EPO. Les médecins gagnent beaucoup d'argent. Bon, il ne reste plus beaucoup de médecins qui soignent les cyclistes et qui les dopent, parce que depuis quelque temps, avec les affaires de cour, ça commence à tomber un peu partout. Mais j'en ai quand même connu un en 2003, qui est encore à la pointe du combat, quoi !

Q : Ça veut dire aussi qu'on peut savoir, je ne sais pas, qu'il y a des produits expérimentaux dans tel ou tel pays et qu'on sera peut-être tenté d'aller les chercher ?

R : Bien sûr, à un moment donné, il faut se poser la question : « Pourquoi tous les coureurs allaient s'entraîner en Afrique du Sud ? » Pourquoi ? Parce qu'on pouvait y avoir l'Aranesp, à effet retard, en vente libre. Pourquoi beaucoup sont attirés par l'Australie en ce moment? Parce qu'on peut y obtenir l'IGF-1. À un moment donné, on parlait des hémoglobines synthétiques dans les pays nordiques, et puis l'EPO qu'on trouve un peu partout.

Q : À un moment donné, vous avez donc décidé que c'était fini, que vous vouliez en parler. Vous saviez les conséquences que ça allait avoir dans votre milieu, dans votre entourage?

R : Oui bien entendu. Vous savez, je suis quelqu'un d'assez fort dans ma tête. Je sais tout ce que l'on peut penser de moi dans le milieu du vélo. Certains disent que maintenant que j'ai fini ma carrière, je balance tout! Mais ce n'est pas dans mon intérêt. C'est simplement pour raconter mon histoire. Pour moi, c'est une thérapie que de raconter des choses que j'ai vécues durant ma carrière et dont on ne doit pas parler. Enfin, je peux m'exprimer en racontant ce calvaire. L'enfer c'est dans les produits qu'on s'administre sans avoir le grand sourire, parce qu'on est obligé de le faire. C'est ça que je veux dire. Je veux aussi faire comprendre aux gens que les performances qu'ils voient à la télévision, les beaux camions, les beaux camping-cars, les belles voitures et tout ça c'est très beau… matériellement c'est magnifique, mais à côté de ça, c'est pas très joli!

Q : Vous considérez-vous à présent, avec tout ce que vous avez vécu, comme un acteur ou comme la victime d'un grand show, d'un grand spectacle?

R : On est acteur d'un grand show et à la fois on est victime du système. C'est le terme que j'emploie, car il est exactement approprié à ce que je pense.

Q : Victime, parce que même si vous preniez de manière consentante ces produits, vous n'aviez pas le choix, c'est ça?

R : Il n'y a jamais personne qui m'a forcé à prendre un produit. On ne m'a jamais attaché à une chaise, en me disant: «Bon voilà, donne ton bras je vais t'injecter quelque chose.» Maintenant, je me considère comme une victime d'un système parce qu'il y a un sponsor qui distribue de l'argent à une société, cette société est dirigée que par des gens du milieu du vélo, et souvent des anciens dopés, et que ces gens n'ont pas grand-chose dans la vie. Ils perçoivent un bon salaire de cette société, et ils sont obligés de mettre de la pression sur les résultats des sportifs. Ils savent qu'on est très influençables, parce qu'on a abandonné les études de bonne heure, qu'on a une famille à élever et une maison à payer. À partir de là, on nous attribue des contrats à durée déterminée, donc renouvelables tous les ans. Ils savent qu'ils jouent avec nous avec la pression. Après on indique des primes hyper alléchantes dans nos contrats de travail, en annexe à notre salaire annuel. Voilà, le système c'est ça !

Q : Dites-moi, les produits dopants coûtent chers. On les dégrevait de votre salaire ?
R : Quand on a une petite cagnotte pour acheter nos produits dopants toute l'année, on parle en terme d'investissement (intervention du journaliste – « C'est un budget ! »). Oui voilà. Si on a 30 000 F (environ 4 700 $) de produits par an et que ça nous rapporte 150 000 F ou 200 000 F (27 000 $), ou encore un contrat de plus, de deux ans, l'équation est simple à comprendre.

Q : C'est ça que ça coûte ?
R : Je vous parle de ce que je gagnais. Je tournais, après 10 ans de carrière, à 60 000-70 000 F (environ 17 000 $ par mois). Vous savez, mettre 5 000 $ par an sur un produit… c'est rien !

Q : C'est le coureur qui paie alors ?
R : Toujours le coureur. À un moment donné, on avait une petite aide de l'équipe sous une forme d'enveloppe cachée, mais cela a disparu depuis 1998. Après Festina. Après on nous a dit « Démerdez vous ! »

Q : Vous décidez finalement de briser l'omerta, parce que c'est ça qui s'est passé… Vous fonctionnez en fait comme une secte dans le vélo ?
R : Ah complètement ! C'est le terme approprié…

Q : Les personnages sont les mêmes, là c'est clair.
R : Le monde du vélo est petit et il est dirigé par des personnes pas très intelligentes à la base. C'est un milieu très fermé, où y a pas grand-chose qui circule. Il y a des âneries qui circulent à l'intérieur, amplifiées, déformées, mais une fois sorti de là… ça demeure un petit cercle. Et après, quand on en sort et qu'on raconte ce qui se passait dans le cercle, on est considéré comme le pire des gangsters, le pire fou qui existe sur la Terre.

Q : Vous vous attaquez à des icônes, à de grands noms. Quand vous dites que 95 % des coureurs sont dopés, ça ne laisse pas beaucoup de gens… Et en général, ceux-là sont en mobylettes, comme vous dites.
R : Quand je dis 95 %, je suis bien gentil. Je vous l'affirme. Je suis gentil sur le pourcentage.

Q : Maintenant vous avez un petit peu de recul, même si c'est encore frais. Que s'est-il passé à partir du moment où vous vous êtes mis à parler ?
R : Comment ça s'est passé ? Ben très mal ! Ç'a été très mal perçu dans l'opinion sportive. Tout le monde a raconté sa petite histoire, son petit mensonge à mon sujet dans le milieu sportif. Et ç'a été amplifié, déformé… au fur et à mesure des trajectoires et des directions que ç'a pu prendre. Je me retrouve seul, tout seul. Je tiens bien à le préciser, seul par rapport au monde sportif, pas seul par rapport à ma vie. C'est deux choses différentes. Mais je suis près à les affronter tous… un par un, s'ils le veulent.

Q : On reviendra au fait que vous êtes seul dans cet environnement. Justement dans la vie, vous n'êtes pas seul, vous avez une famille, une vie, un métier. Si vous n'aviez pas eu tout cela, qu'est-ce qui se serait passé ?
R : Je suis resté très marqué par la mort de Marco Pantani. J'ai pu vraiment comprendre ce qu'il avait pu ressentir. Pantani gagnait beaucoup plus d'argent que moi, il était beaucoup plus médiatisé que moi. Donc un problème arrive, vous n'osez plus sortir de chez vous, vous n'osez plus affronter les gens dans la rue, parce que les

gens vous jugent. Vous vous dites alors que ces gens vous regardent, mais plus par rapport à vos exploits sportifs, à cause de l'affaire. Ils vous prennent pour un fantôme. Donc déjà, vous vous isolez. En vous isolant, si vous n'avez pas de famille, rien qui vous entoure vraiment – je parle toujours du cas Pantani –, ce pauvre garçon… un jour, il a dû prendre de la cocaïne et c'était le seul moyen qu'il avait trouvé pour se sentir bien artificiellement. Alors qu'on sait tous que de prendre de la cocaïne, une deuxième fois, une troisième fois… fait qu'on rentre dans un cercle vicieux. Et voilà, il a fini comme un chien, dans un hôtel. En plus, la cocaïne est une drogue qui coûte cher. Lui, il pouvait se le permettre, il avait les moyens d'en acheter. En plus les dealers devaient être à sa porte, parce qu'ils savaient qu'il payait cash, et voilà. Moi aussi j'aurais pu en arriver là, si je n'avais pas ce noyau serré autour de moi.

Q : Vous auriez pu songer au suicide ?
R : J'y ai déjà pensé effectivement. C'est quelque chose qu'il ne faut pas prendre à la légère, avec laquelle il ne faut pas rigoler. Ça peut arriver effectivement.

Q : Avec le recul, avec tout ce que vous avez vécu, Philippe, si vous aviez le choix, vous referiez la même chose, le même métier ?
R : Franchement, si demain les mêmes choses se représentaient, je les referais sous les mêmes formes. Ce serait vraiment bête de ma part de dire : « Voilà si je refais du vélo, je ne prends rien, je vais être propre ! », c'est des paroles qui veulent rien dire. Demain si je recommençais le vélo, que je gagnais de l'argent, parce que j'ai quitté mes études de bonne heure et parce que j'ai une famille à élever, une maison et une voiture à payer… Et puis, on veut être aussi le champion de sa rue, ça c'est génétiquement en nous. Je referai la même chose, c'est sûr. Quand vous êtes derrière un peloton et que vous en bavez, et que vous savez que les autres prennent des produits dopants, un beau jour vous vous dites : « D'la merde, j'en ai marre ! » Quand ça va mal et que le sponsor vous appelle pour vous dire : « Comment ça se

fait que ça marche pas, tu fais pas ton métier…» Alors, oui, je referais pareil.

Q: Toujours avec cette même expérience? Qu'est-ce qui serait arrivé si on vous avait pas dénoncé?
R: Ben, je serais toujours en activité et je me doperais!

Q: Êtes-vous content que ça soit arrivé?
R: Oui je suis content que ça se soit arrêté! Un sportif, ça ne sait jamais vraiment quand arrêter, donner une date butoir. Le seul moment où il peut dire: «J'arrête!», c'est le moment où il se retrouve sans contrat ou quand il sent qu'il n'est plus performant ou à cause d'un arrêt brutal, comme moi. Je crois que le mieux c'est un arrêt brutal. C'est plus choquant, plus dur psychologiquement à gérer parce que c'est pas vous qui avez choisi le moment de votre arrêt. On l'a choisi à votre place. Cela dit, on a tellement du mal à arrêter par rapport à ce facteur qu'est l'argent que moi, je suis content que ça se soit arrêté comme ça. Je l'ai déjà dit au juge. Je l'ai remercié de m'avoir fait arrêter… Je crois beaucoup au destin dans la vie. C'était un signe. C'est comme ça, c'est tout.

Q: Et vous avez décidé de parler parce que vous avez des problèmes d'éthique? Pour vous défendre?
R: Non pas pour me défendre, pas pour cracher sur le milieu. C'était tout simplement pour parler, parce qu'on n'a pas le droit de le faire quand on est dans une équipe. On dérange, si on parle. On est viré, si on parle. On est mal vu. Donc ça fait du bien. C'est une thérapie. Ça fait du bien de libérer ce qu'on a en soi et qu'on a gardé pendant 10 ans. C'est important.

Q: Est-ce que ce sont des contrats moraux avec vos patrons? Tu es là, tu signes, mais tu t'engages aussi à te taire?
R: Oui bien sûr. C'est pas écrit, mais…

Q: C'est ce qu'on vous dit?
R: Oui effectivement…

Q : La question vous paraîtra peut-être brutale, mais avez-vous le sentiment d'avoir triché avec vous-même, avec votre milieu ou votre public ?

R : Oui, j'ai ce sentiment d'avoir triché. Mais comme tout le monde triche, on ne pense pas être un tricheur. Mais qui ne triche pas non plus dans la vie ? Hein ?

Q : Soyons un peu plus terre à terre. Dans quelques mois auront lieu les Jeux olympiques d'Athènes. Ça vous inspire quoi, ces grands rendez-vous sportifs ? Et d'ailleurs, il y aura le Tour de France avant ?

R : Qu'est-ce que j'en ai à foutre qu'un sportif se dope ou pas ? Moi, ce que je veux quand j'allume ma télévision, c'est du spectacle. Si demain je vois Michael Schumacher se traîner à 100 km/h avec sa Formule 1, je ne regarde plus. Si je vais voir un match de foot, et que les mecs se traînent les chaussures, je ne vais plus les voir. Si je vais voir un match de boxe et qu'après un coup de poing le boxeur est K.O., moi ça ne m'intéresse pas. C'est ça aussi la question. Doit on libéraliser le dopage ou pas ? Quand je vais dans un stade de foot, que je paie 60 F mon entrée, je me fous de ce que prennent les joueurs ; moi, je veux du spectacle, voir des stars et c'est tout.

Q : Donc vous êtes d'accord pour qu'on libéralise les produits dopants ?

R : Sous une certaine forme, oui. Par exemple, le cannabis n'est-il pas déjà plus ou moins légalisé ? Dans le milieu du sport, au lieu de se buter à chaque fois, en disant : « Untel c'est ça », « Ils vont mourir dans 10 ans », « Et l'autre qui dit que c'est moins dangereux que de boire 2 litres de coca par jour… », je crois qu'il faudrait légaliser sous une certaine forme. Ce serait peut-être plus facile.

Q : Normalement, vous seriez en train de vous préparer pour le Tour de France. Comment allez-vous voir ce Tour de France qui partira sans vous ?

R : Je vais le voir exactement comme d'habitude. Je n'aurai aucun état d'esprit différent par rapport aux années où j'étais dedans.

Les Jeux olympiques c'est pareil. Je regarderai toujours les Jeux, parce que j'aime le sport et que je veux voir des performances avec des champions hors normes.

Q : Vous n'avez pas peur que le vélo vous manque ?
R : Non du tout ! J'ai dû faire 400 000 km de vélo en 16 ans. Je vais le laisser un petit peu de côté… ça fera du bien.

Q : Faisons de la science-fiction, Philippe, ça vous détendra un peu. Comment voyez-vous l'avenir, comment voyez-vous le sportif de demain ?
R : Le sportif de demain sera, je crois, construit génétiquement et modifié génétiquement. On est dans un monde qui évolue et qui avance à grands pas. Faut pas rêver, demain on pourra fabriquer un champion assez rapidement.

Q : Ça vous dérange ?
R : Non, pas du tout. Moi, je veux du spectacle à la télévision.

Q : Donc Philippe Gaumont a bien fait d'arrêter avant ?
R : Oui. Je crois que oui, c'est bien. J'ai fait assez d'années comme ça…

Q : Aucune inquiétude quand vous voyez vos enfants ? Si votre fils vous disait un jour : « Papa, je veux être coureur cycliste » ?
R : Si j'ai énormément d'inquiétudes quand je vois mon fils qui fait du vélo ? Je suis très content pour lui. Mais que le vélo reste un loisir, c'est le meilleur médicament du monde. Et puis, je m'inquiète aussi pour leur santé, vous savez. Si un jour il leur arrivait un problème de santé, je m'en voudrais énormément. Là je pourrais très vite déprimer et me dire : « Voilà tu t'es dopé et tu leur a donné des merdes. » Mais bon, aujourd'hui, ils sont en très bonne santé. J'ai des enfants qui respirent la santé, mais…

Q : On y pense. J'ai déjà entendu des cyclistes dirent : « J'ai préféré faire des enfants avant… de prendre des produits, par peur, par crainte. » Cela vous a déjà traversé l'esprit ?

R : Bien entendu que ça m'a traversé l'esprit. Quand on prend des produits comme la testostérone, les anabolisants et tout ça. C'est un sujet encore plus grave que se doper. On y pense tous. Se détruire la santé c'est une chose, mais détruire celles des autres et des petits bouts de chou, ça c'est…

Q : Ce problème de descendance est vraiment un sujet de réflexion dans votre milieu ?
R : Oui c'est un grave sujet de réflexion. Mon fils a connu deux petites opérations pour un problème bénin et fréquent chez les enfants… Dès qu'il a eu ça, je me suis tout de suite demandé si c'était pas lié au dopage. C'est très important comme question.

L'entrevue se termine, et c'est un soulagement pour Philippe Gaumont. Un sentiment de plénitude se dégage maintenant de ce coureur, une légèreté qu'il n'avait pas avant notre rencontre. Philippe Gaumont me confie aussi avoir été surpris par mes questions, un peu trop directes par moments. Mais il avait décidé de jouer le jeu jusqu'au bout. Et comme il me l'a dit à la fin de l'entrevue : « Vous êtes venu de si loin, juste pour moi. Alors ! »

À la suite du témoignage de Philippe Gaumont devant le juge d'instruction, une perquisition a eu lieu en début d'année 2005 au sein de l'équipe Cofidis. L'ancien médecin de l'équipe Jean-Jacques Menuet a été entendu en mars 2005 par les inspecteurs de la brigade des stupéfiants de Paris. Les ordonnances délivrées par le médecin et trouvées par les enquêteurs lors de la perquisition de son domicile sont étonnantes. Il avait prescrit à de jeunes coureurs du Cervoxan et du Nootropyl, des médicaments sensés soigner les personnes âgées atteintes de troubles neurologiques. Une affaire à suivre…

Rencontre avec Stéphane Desaulty

« J'ai fait n'importe quoi. J'ai bafoué les gens qui m'estimaient, j'ai bafoué l'éducation que ma mère m'a donnée et ça je m'en suis vraiment voulu ! »

L'athlétisme a été très longtemps préservé des révélations fracassantes sur des histoires de dopage. Plusieurs suspicions certes, mais jamais de preuves. Il a fallu Séoul en 1988 et l'affaire Ben Johnson. Depuis, il y a eu un règlement de comptes dans l'athlétisme américain, qui a amené l'affaire Balco, du nom des tristement célèbres laboratoires californiens qui avaient mis au point un stéroïde de synthèse, la THG (tétrahydrogestrinone). Un produit indécelable qui était au cœur d'un programme au titre sans équivoque : Projet record du monde, mis sur pied par Victor Conte, le patron des Laboratoires Balco.

Les noms les plus prestigieux de l'athlétisme mondial ont été associés au scandale : la triple championne olympique de Sydney, Marion Jones ; le recordman du monde sur 100 m en 9,78 s, Tim Montgomery ; l'ex-championne du monde de 2003 sur 100 m et 200 m Kelly White (qui a été déchue de ses titres et qui est passée récemment aux aveux dans le quotidien français *L'Équipe*) ; le champion d'Europe du 100 m et médaillé olympique, le Britannique Dwain Chambers ; mais aussi l'Ukrainienne Zhanna Block, l'Américaine Regina Jacobs, Mike Powell (saut en longueur), le lanceur de poids Kevin Toth, sans oublier et non le moindre, l'ex-mari de Marion Jones, CJ Hunter. D'autres athlètes renommés, dans d'autres sports, sont également impliqués, comme le joueur de baseball Barry Bonds ou les anciennes vedettes de tennis Yvan Lendl et Jim Courier.

Quand j'ai rencontré le Français Stéphane Desaulty, spécialiste du 3 000 m steeple, on était loin des Laboratoires Balco et de ses grandes vedettes, de ces athlètes qui, poussés par la gloire et l'argent, prendront des chemins de traverse.

Si je vous raconte ma rencontre avec Stéphane, c'est que lui aussi a pris des raccourcis. Lui aussi voulait connaître la gloire, la reconnaissance. Desaulty c'est l'artisan, l'autodidacte du dopage, loin des grosses machines avec leurs médecins et leurs laboratoires sophistiqués.

En juillet 2003, Stéphane Desaulty est en lice pour la qualification pour les championnats du monde. Il se présente à l'hôpital de Creil en banlieue de Paris pour régler une prescription d'EPO. On lui explique que tout est déjà réglé par l'assurance sociale, mais il insiste tout de même pour payer. Cette insistance éveillera les soupçons et on découvrira rapidement qu'il falsifiait des ordonnances médicales. Tribunal, condamnation, suspension sont le bilan de l'athlète déchu.

C'est dans le parc adjacent à la magnifique cathédrale d'Amiens, dans le nord de la France, que j'ai rencontré un Stéphane Desaulty serein. Quiet. Presque soulagé à l'idée de raconter encore une fois son histoire :

Q : Stéphane Desaulty, pour commencer, pouvez-vous vous présenter et dire ce que vous faisiez dans le sport de haut niveau ?
R : J'étais un coureur du 3 000 m steeple et, l'hiver, de cross-country. J'ai fait 8 min 16 s sur 3 000 m steeple, 30ᵉ au Championnat du monde de cross-country. J'ai été deux fois vice-champion de France en cross-country en 1998 et en 2002.

Q : Vous vous situez où sur l'échiquier mondial ?
R : En 2001, j'étais 12ᵉ au classement mondial sur 3 000 m steeple, et j'avais la 5ᵉ performance française de tous les temps.

Q : Stéphane, comment petit à petit en êtes-vous arrivé à mettre progressivement un ongle, un doigt, un orteil, un pied, une jambe dans cet univers du dopage ? Comment finalement avez-

vous fait en sorte de prendre des chemins de traverse? Racontez-nous un peu votre histoire.

R: En résumé, en banalisant les gestes. Tout commence à 17 ans, en prenant une substance complètement autorisée qui s'appelle le fer. Je ne citerai pas de nom, car je pense que cela pourrait inciter les gens à prendre ces médicaments. Un jour, vous êtes carencé en fer, un médecin dit: «Vous devez faire un bilan!» Vous faites ce bilan et là le médecin vous explique pourquoi vous êtes carencé. Il vous explique même qu'en suppléant vous allez avoir un effet dopant, et il utilise ce terme «effet dopant». C'est comme un café peut-être, et le sportif, bof!, il écoute. En prenant ces petits comprimés complètement autorisés, qui sont donnés à la femme enceinte quand elle attend son bébé, quand elle est carencée, vous vous rendez compte que des choses changent en vous, que ça influe sur vos performances. Donc puisque ça influe sur vos performances, vous vous rendez compte que même un médicament autorisé prend vite une certaine importance dans l'entraînement et dans la pratique sportive. Ça panse les cicatrices que l'entraînement de haut niveau vous fait. Rapidement, ce petit comprimé se transforme en piqûre, parce que, évidemment, quand vous en prenez trop souvent, ça n'a plus beaucoup d'effets. Et évidemment la piqûre de fer, intramusculaire comme je la faisais, devient efficace. Donc, on la combine, parce qu'on vous dit que le fer fonctionne avec d'autres molécules comme la vitamine B12. Vous complétez cette vitamine avec le fer, toujours en injection. Ça fait de nouveau cet effet gagné, comme il y a 6 ou 7 ans quand vous étiez junior. Et puis plus tard, vous passez à d'autres étapes dans l'entraînement. Vous avez beaucoup de cicatrices d'entraînement et de surentraînement. Votre entraînement ne transparaît pas dans vos performances parce que vous êtes surentraîné. Alors, on vous conseille, on vous fait comprendre qu'il faut se reposer, mais qu'il faut aussi être meilleur. Toujours meilleur. On vous dit: «T'as pas fait de performance cette année…», et là on se rend compte qu'il faut panser ses plaies et on continue à tomber dans l'automédication. C'est vrai, ce ne sont pas les médecins qui nous disent: «Prends ceci ou cela!», non c'est le sportif qui arrive à acheter ses produits, qui arrive à se renseigner. On arrive à des

intramusculaires, des intraveineuses. Je crois qu'avec l'intraveineuse, ça y est, c'est la porte ouverte à tout.

**Q : Quand vous dites ON, « on met la pression », « on fait en
sorte que… » Qui sont ces ON ?**
R : ON. Ma mère m'a dit quand j'étais petit : « On est un con ! »
Alors c'est peut-être ironique de dire cela, mais oui ON est un
con ! C'est tous les gens qui font ce que vous êtes ; les instances
fédérales – bon je ne me permettrais pas de dire que ce sont des
cons, mais c'est eux le ON, hein ! C'est les dirigeants de clubs, c'est
les gens qui font votre statut, qui votent vos bourses. Un exemple
simple. Vous avez un statut que l'on appelle athlète de haut
niveau. Ce statut vous donne le droit d'avoir une préparation
olympique, d'avoir une bourse du Conseil régional, du Conseil
général, du club parce que tout est voté pour ça. Vous vous blessez
et vous perdez ce statut. Vous perdez toutes les bourses. Vous ne
vivez plus dans le système dans lequel vous êtes, parce que tout est
mis bout à bout quand vous êtes professionnel. Mais sans l'un et
l'autre, vous n'êtes plus professionnel. Donc ON c'est ça, c'est tout
ce système. ON c'est ce système dans lequel est l'athlétisme
d'aujourd'hui.

**Q : Vous dites, petit à petit, qu'il faut qu'on se régule, qu'il faut
qu'on arrive à l'automédication. Dans votre cas, comment a
commencé l'engrenage ? Comment vous êtes-vous retrouvé pris
malgré vous dans cette espèce de tourbillon des produits ?**
R : Simplement. En étant autodidacte, c'est-à-dire en me donnant
des réponses souvent réfléchies, pas seulement des réponses à des
questions. En parcourant beaucoup des revues scientifiques,
Sciences et Vie, *Sport et Avenir* et d'autres revues sur le Net, je me
suis rendu compte que le médicament était omniprésent dans le
sport. Je me suis donc donné des réponses assez simples. C'est que
déjà tout le monde le fait. Ça c'est une première chose. Toutes les
affaires qu'il y a aujourd'hui nous le prouvent. J'utilisais des
produits que je trouvais sur le Net et dans *Sport et Vie*, des
antidépresseurs qui me permettaient d'arriver à la compétition
détendu, des psychostimulants, des acides aminés, tout ça par voie

injectable. C'est tellement efficace, ça fait tellement du bien pour récupérer, ça panse tellement bien les plaies de l'entraînement, du surentraînement, qu'on se rend compte au bout d'un moment qu'on ne peut plus faire machine arrière.

Q : Comment faisiez-vous pour trouver les bonnes doses ? Parce que vous n'êtes pas médecin. Vous dites : « Je suis autodidacte. » Je veux bien. Mais à partir d'un certain moment il y a des risques, des dangers. Donc comment faisiez-vous pour trouver les bonnes doses ? Parfois vous deviez dépasser les choses et revenir en arrière. Aviez-vous des effets trop forts ? Comment ça se passait ?

R : Tout le problème est là ! En fait, je ne savais jamais vraiment si je prenais les bonnes doses, simplement je prenais les médicaments. En général, je restais toujours dans une voie médicale. Je m'explique. La posologie disait tant par jour. Eh bien je respectais tant par jour et je l'adaptais à mon sport. Mais en cherchant un petit peu sur le Net, j'ai vu que certains coureurs, cyclistes, entre autres, disaient « je prends ceci, je prends cela, comme ci, comme ça ! » Donc on prenait ces réponses et on les adaptait à notre discipline.

Q : Vous étiez une espèce de petite souris, une sorte de cobaye, non ?

R : Oui c'est vrai. Quelque part j'étais un cobaye. Mais le seul souci, c'était qu'on ne s'en rendait pas compte. À partir du moment où on ne se rend pas compte de ce que l'on est, eh bien, on n'est pas conscient de ce que l'on est. Personnellement, à l'évidence, je faisais ce que les autres faisaient. Ces médicaments j'allais les acheter en Italie, parce que en France, c'est très dur d'acheter des produits injectables, on est bien préservé de ça. Le paradoxe, c'est que les seringues sont vendues hyper facilement. Mais bon !

Q : Vous dites : « Je savais à peu près ce que je prenais, ce que je m'injectais… », je dis bien à peu près… Vous aviez une démarche, vous alliez de l'autre côté de la frontière. Vous saviez que ça coûtait moins cher ?

R : Oui, mais c'était pas seulement une histoire d'argent. Les fameux psychostimulants, en France, on ne les trouve que dans les milieux hospitaliers. Mais on les trouve plus facilement en Italie avec toute une panoplie d'acides aminés et de médicaments. Prenez un acide aminé – il y a des acides aminés qui sont faits pour la durée de l'effort, d'autres pour avant l'effort. Prenez de la phosphocréatine. C'est un acide aminé qui permet de faire un effort brutal et très solide dans les 30 premières secondes de l'effort. À partir de là vous savez que c'est une chose à prendre le jour où vous faites un cross, pour avoir un départ énergique et tonique. Ces produits, j'allais les acheter en Italie. C'étaient des produits autorisés mais qui, à mon avis, sont très dangereux. Actuellement, et ça sera prouvé lors du procès qui se déroule à Turin, et je l'ai lu dans un livre, ces produits sont précurseurs de la sclérose en plaques, une maladie qui s'appelle la SLA. Ce qui me fait le plus de mal, c'est que c'est en vente libre, c'est autorisé et très nocif pour la santé. Le plus dangereux, c'est que puisque ce n'est pas un produit détectable, donc pas interdit, c'est qu'on a tendance à vouloir le prendre trop facilement. Prendre un produit interdit nécessite une réflexion sur le risque de se faire prendre.

Q : Vous n'êtes pas médecin. Vous n'aviez pas le sentiment du danger, de la dangerosité des produits ? Vous dites que vous suiviez le protocole inscrit sur la boîte, mais vous mélangiez des choses. Vous n'aviez pas peur justement de l'accident ?
R : Non, tristement non. Et c'est ça le plus fou ! C'est qu'un sportif qui est dans son monde se donne des réponses par l'acte sportif. C'est simplement le jour où il a une fièvre inexpliquée que là il prend peur et se dit qu'il s'arrêtera là et ne recommencera plus. Et puis une semaine après, il a oublié la fièvre et il recommence. J'ai accepté de dire que c'était une forme de toxicomanie, parce qu'il y a de ça. Le sportif assure qu'il ne le fera plus parce qu'il prend conscience que ç'a l'air dangereux, mais très rapidement tout va pour le mieux, tout ça s'arrange et puis il recommence.

Q : C'est bien que vous m'ouvriez cette porte, Stéphane. Le fait que vous expliquiez le passage de la pilule à l'injection, de

recourir systématiquement à des injections. Ne vous êtes-vous pas regardé dans une glace en vous disant : « Mais qu'est-ce que je suis en train de faire, j'ai l'air d'un junkie… » ? N'avez-vous pas eu ce sentiment à un moment donné de votre vie ?

R : Une chose est sûre. Quand j'ai commencé à faire ça, j'ai évité de me regarder dans une glace. Je pense que si j'avais vu mon vrai visage, j'aurais pris peur et je serais parti en courant. J'aurais arrêté le sport de haut niveau. Simplement j'évitais de me regarder, parce qu'on fuit les débats. Par expérience, tout sportif qui engendre une démarche dopante, qui rentre dans une démarche dopante, du *hard* ou pas, n'en parle plus. Il fuit les conversations sur le dopage ; c'était mon cas. Personnellement, si vous me parliez de dopage, je disais : « Ouais c'est vrai que le dopage c'est pas bien ; c'est vrai que le dopage ç'a pas l'air bien… », mais on fuit ces conversations. S'il y a des sportifs qui m'écoutent, et qu'ils se rendent compte qu'un de leurs amis est dans cette situation, je pense que de parler avec lui, ce serait déjà l'aider. S'il n'en parle plus de lui-même, c'est peut-être parce qu'il a déjà les deux pieds dedans.

Q : Aviez-vous le sentiment de tricher ?

R : Non, non… Pour chaque geste négatif que je pensais faire, j'apportais un élément positif. Et de toute façon les autres le font. Les hommes politiques se permettent de détourner de l'argent… Aujourd'hui je me dis, si l'on veut que demain l'être humain respecte les lois, il faut que les gens qui les fabriquent les respectent aussi.

Q : Mais à aucun moment vous vous êtes dit : « Je m'injecte pour aller mieux, je m'injecte pour aller plus vite » ? Vous n'avez pas pensé : « C'est pas ça le sport, je suis en train de dépasser une ligne qui ressemble un petit peu à la triche » ?

R : En effet. Je n'ai pas utilisé suffisamment longtemps de substances dopantes pour réaliser ça. Les substances qui m'ont permis de faire des grandes performances ne sont pas des substances inscrites sur les listes, à part peut-être la DHEA. Mais ces substances-là, même si elles ne sont pas sur les listes, sont toutes aussi dangereuses pour la santé. À ce jour, je sais très bien que sans elles, je n'aurais peut-être pas fait les performances que j'ai faites. Et ça c'est une cicatrice que j'ai en moi et que j'ai envie de panser avec les années. Comment faire ? En convainquant qu'on peut faire des performances propres. J'étais dans mon petit monde virtuel, et dans lequel sont tous les sportifs de haut niveau. Il faut vraiment que l'on soit soutenu, parce que moi je ne m'en rendais pas compte…

Q : Vous allez faire bondir des gens. Vous parlez de la DHEA, d'hormones. Vous en étiez là ?
R : Oui, oui tout à fait. De la DHEA, j'en ai pris dans le sport… Un athlète français m'a appelé, au courant du mois de novembre, pour me dire : « J'ai lu dans un article que t'avais pris de la DHEA. C'est interdit ! Je ne le savais pas ! » Ce sportif est l'un des meilleurs coureurs de demi-fond français, dans une discipline que je ne citerai pas. Il prenait de la DHEA et il sous-entendait qu'il ne savait pas que c'était interdit. C'est là que ça m'a convaincu que l'athlétisme est un milieu tellement clos que les gens font des choses et n'en parlent pas. C'est notre problème aujourd'hui. Beaucoup de gens trichent sans le savoir ou trichent en le sachant, mais ils sont persuadés que ce qu'ils font, ce n'est pas mal…

Q : Vous êtes en train de me dire que vous êtes des victimes. Vous êtes les victimes d'un système…
R : Je combats un petit peu ce terme de victime, parce que nous n'en sommes pas. Un sportif qui prend des produits dopants est responsable de ses actes. Premièrement, il est responsable, deuxièmement, il doit les assumer. Chose que moi j'ai fait, je pense, avec beaucoup de courage. À la seconde où j'ai eu mon problème de dopage, je l'ai assumé, je l'ai expliqué et je me suis repenti. Je me suis rendu compte, j'ai ouvert les yeux et je me suis dit que j'avais fait n'importe quoi. J'ai bafoué les gens qui m'estimaient, l'éducation que ma mère m'a donnée et ça je m'en suis vraiment voulu… d'avoir déçu les gens.

Q : Dans quelles circonstances vous a-t-on appelé « le dopé » et non plus « le sportif » ? Si ce n'était pas arrivé, seriez-vous encore en train de jouer au médecin autodidacte ?

R : Oui je pense que oui. Mais j'étais en France, chez moi, lorsque j'ai dit : « J'arrête l'athlétisme ». Je voyais bien que ça n'avait plus ni queue ni tête. Je venais de me faire licencier de mon emploi. J'occupais ce qu'on appelle un emploi-jeune, un emploi financé par l'État, dans un club. Le club m'employait pour faire l'entraînement des jeunes. Le jour où les subventions d'État ont arrêté, mon club m'a licencié. Pourtant c'était mon club, à qui j'ai tout donné. J'étais complètement paumé. C'est vrai que pour un sportif paumé, le dopage a une incidence avérée. J'étais tellement mal dans ma peau, tellement dépressif, mais je m'en rendais pas compte. Aujourd'hui je vis le bonheur, je ne pensais pas qu'on puisse être si heureux. Ce qui est complètement paradoxal, c'est que ce bonheur, je le vis alors que je ne fais plus de sport. En fait si, je fais du sport, mais pour le plaisir. Je ne fais plus de compétition. Pourtant, je pensais que c'était ça ma vie, la compétition. Je me rends compte qu'en fait la vie est magnifique et que ce bonheur je l'avais perdu. J'étais heureux dans mon sport, mais j'avais perdu le sens des choses, le sens de mes responsabilités de père, de mari, de fils. Tout cela peut sembler un peu fort, mais c'est la vérité.

Q : C'étaient les exigences du sport ? Vous dites qu'il y a eu les médicaments, mais ce que le sport exige aujourd'hui d'un athlète, n'est-ce pas la première drogue, la première dépendance ?

R : Non ce n'est pas la première drogue, c'est la première nécessité. Si vous n'êtes pas bon, vous sortez du système. Si vous sortez du système, vous devez vous reconstruire… Quand vous avez passé 14 années à faire du sport de haut niveau, à tout donner pour ce sport, vous ne pouvez pas faire autre chose. Enfin, vous pensez que vous ne pouvez pas faire autre chose. Vous voulez rester dans ce milieu et, quelque part, ce milieu est beau aussi. Il y a des bons côtés. Faire une compétition, c'est magnifique. Partir à Séville, et faire 8 m 16 s au 3 000 m steeple ! Je suis le cinquième Français de tous les temps. Je rentre en France, je suis acclamé, adulé et je suis admiré… Je me rappelle quand j'ai fait 8 m16 s… j'étais dans un champ, il y avait des tournesols, j'en ai cueilli un, j'étais heureux. Pourtant, je ne l'ai pas fait proprement. La veille, je m'étais injecté des psychostimulants, mais ça on y pense pas. Les gens ne vous laissent même pas le temps d'y penser, vous êtes tellement félicité, récompensé, acclamé… Pour revenir un petit peu en arrière, comment ça s'est arrêté, c'est peut-être important que je le dise. Le jour où tout c'est arrêté, j'ai été interpellé par la police française parce que j'avais acheté de l'EPO dans un hôpital. Donc ils m'ont arrêté et m'ont dit : « Monsieur pourquoi êtes-vous là ? », j'ai répondu : « Je suis venu chercher des médicaments… » On m'a demandé mes pièces d'identité. Dès ce moment-là, je savais que ma carrière d'athlétisme était terminée.

Q : C'était naïf un peu d'aller dans un hôpital demander de l'EPO, c'était la première fois ?
R : Oui. J'avais commencé début mai. Ça ne faisait que 6 mois que j'allais chercher de l'EPO…

Q : Attendez, expliquez-moi une chose. On ne rentre pas comme ça dans un hôpital pour se faire donner de l'EPO. Comment ça se passait ?
R : Non. J'ai dit à tout le monde que ce que j'ai fait, je l'ai fait tout seul, et c'est vrai. Néanmoins, j'ai été influencé par le système. Par des questions que j'ai posées à des médecins et qui m'ont répondu dangereusement. Un jour j'ai demandé où on trouve de l'EPO. Et le médecin m'a répondu, sans penser que je pourrais utiliser ces renseignements, : « Mais dans un hôpital ! Avec des ordonnances hospitalières… » À partir de là, je me suis dit qu'il fallait que je dégotte des ordonnances hospitalières pour avoir de l'EPO…

Q : Attendez, comment vous avez fait pour dégotter, comme vous dites, des ordonnances hospitalières ?
R : Simplement. Un jour je suis allé chez le médecin et il m'a donné une prescription pour faire un bilan sanguin. En détachant son feuillet, il y avait une ordonnance hospitalière et donc j'ai

écrit dessus. J'ai pris mon Vidal (sorte de dictionnaire de la médecine en France) et j'ai écrit dessus Eprex. J'ai mis aussi le nom commercial. J'ai marqué ce qui est écrit dans le Vidal. La posologie, trois fois par jour sur tant de mois…

Q : Vous avez falsifié une ordonnance… mais c'est de la préméditation ça ! Se dire : « Je pense à prendre l'ordonnance, à la remplir donc à la falsifier et à me rendre à l'hôpital pour me faire donner un produit que je m'injecterai. » C'était une sacrée préméditation par rapport à tout votre univers. Vous étiez rendu loin.

R : Ah oui, oui ! Je faisais n'importe quoi. J'étais complètement paumé parce que personne ne savait ce que je faisais. Si les gens avaient su, ils m'auraient stoppé. Mais le vice du sport fait que vous n'en parlez pas ; inconsciemment, vous savez que ce que vous faites est mal, mais consciemment vous vous dites que tout le monde le fait. Pour ma part, ma loyauté résidait dans le fait que je payais mes médicaments. Je ne détournais pas le système. À partir du moment où je prenais les mêmes produits que les autres et que je les payais, qu'est-ce que je faisais de mal ? De plus, je n'entretenais pas un système parallèle de trafic…

Q : Mais l'EPO c'est dangereux ! Donc, ce n'est plus seulement d'agir en autodidacte. Si vous ratiez une dose, c'était quelque chose de grave : c'est le sang qui s'épaissit, l'hématocrite qui augmente et puis des risques de crise cardiaque et d'embolie, des choses comme ça. Vous étiez déjà dans une dépendance à haut risque ?

R : Tout à fait. Mais avant que vous ne me posiez cette question, j'étais en train de vous expliquer spontanément dans quel état d'esprit j'étais à l'époque. Il faut savoir une chose, c'est qu'à cette époque-là, tout ce que vous me dites n'avait pas d'importance. Mon but c'était de faire une grande performance, d'être bon pour rester dans ce système-là. Quand vous savez, et que des médecins vous l'ont expliqué, que certains hommes politiques, pour tenir leur cadence de tournée électorale, prennent des substances dopantes, que vous voyez des rock stars qui prennent des substances, qui se droguent et qui boivent de l'alcool, et que vous, qui faites un truc qui est sensé être sain, le sport, vous oubliez complètement tous les gestes d'une vie équilibrée. Vous faites n'importe quoi. Et vous vous convainquez que c'est normal de le faire. À partir de là c'est la fin de tout. Vous banalisez tout et trouvez cela normal. Le seul souci, c'est quand on se réveille du cauchemar. C'est vraiment comme ça que ça s'est passé. Chaque jour qui passait, j'étais dans un tunnel et la lumière baissait. Jusqu'au jour où je me suis fait arrêter, là il n'y avait plus de lumière. Je me suis retrouvé en garde à vue, moi, un fils de bonne famille. Honte à moi! Jamais je n'aurais pensé que le sport m'aurait amené là. Je souhaite aujourd'hui que tous les gens, les sportifs et même les dealers qui m'écoutent se disent qu'il y a bien mieux que ça: aller au travail, se lever le matin, faire un métier utile, trouver un sens à sa vie et ne pas bafouer les règles, ne pas trafiquer. Essayer de faire le maximum pour en arriver là où moi je suis arrivé, en garde à vue, c'est l'humiliation! Mais c'est le sport qui m'a amené là. C'est vrai que tout le monde ne fait pas ce que j'ai fait, c'est évident. Néanmoins, il y a des gens qui cautionnent le système parce qu'ils achètent les produits sur des marchés parallèles ou dans des pays où l'on peut acheter ça très facilement… mais le problème est le même.

Q: Mais qui est responsable de cette situation? L'avez-vous identifié maintenant avec le recul?

R: Moi le premier, oui j'étais responsable. Je n'ai pas été suffisamment adulte pour me rendre compte que je faisais n'importe quoi. La première chose qu'un sportif doit faire, c'est se convaincre qu'il doit être humainement et éducativement responsable. Maintenant et je vous l'assure, il n'y a pas un jour où je ne regrette pas ce que j'ai fait. J'ai honte de ce que j'ai fait. Si aujourd'hui je vous en parle c'est parce que je veux vraiment que le système soit meilleur. Je vous le dis, ce système, c'est une grande honte. Je n'en reparle pas, ou alors furtivement, un sportif ne doit pas être fier de se doper. Tous les jours de ma vie future seront fait d'amertume et de regrets.

Q : Vous faites allusion à votre vie future et à votre statut de père de famille. Avez-vous pensé à votre descendance lorsque vous preniez vos produits dopants ? Je sais que c'est un sujet de réflexion dans le monde cycliste. Des gens qui ont fait un enfant avant et ont pris des produits dopants après, ou d'autres qui maintenant se questionnent sur les conséquences de ces produits sur leur descendance. Quelle est votre réflexion ?

R : Lorsque je prenais un produit, en général je regardais les contre-indications pour les femmes enceintes ; donc, inconsciemment, j'y pensais. Je prenais le Vidal, et par exemple, pour l'Eprex, si je voyais qu'une femme enceinte pouvait en prendre, je me disais que ça ne devait pas être mauvais. C'était pour ce médicament-là, il y a de cela huit mois. Maintenant, pour les autres produits que j'ai pris et qui étaient autorisés, c'était écrit en italien… Je ne savais pas ce que je faisais. J'ai peut-être pris des drogues de folie. Si on veut vraiment agir, il faut vraiment convaincre les gens qu'un médicament est une drogue à partir du moment où il est détourné de son sens thérapeutique.

Q : Avez-vous des craintes encore aujourd'hui pour la santé de votre enfant ? Par exemple, si elle a le moindre bobo, inconsciemment, pensez-vous que c'est peut-être à cause de ce que vous avez pris en amont ?

R : Non. Je n'ai pas consommé des doses que certains sportifs ont consommées. J'ai arrêté de courir le 25 juillet 2003 dans le haut niveau. Pendant près de neuf mois, je ne me suis presque pas entraîné ; je n'en ressentais pas encore le besoin, je n'avais pas encore pansé toutes mes plaies et je me sentais bien de ne pas le faire. J'étais vraiment dans un grand état de détresse psychologique… Juste aller à l'entraînement me stressait, alors que normalement ç'aurait dû être un bien-être. Donc ma situation actuelle, du jour où j'ai arrêté de courir, je n'ai plus pris une seule molécule, quelle qu'elle soit. Aujourd'hui quand j'ai mal à la tête, je bois un verre d'eau. Si j'ai encore mal deux heures après, là je prends un demi-comprimé d'aspirine. Avant j'en prenais 1 g, 2 g, 3 g. Je me suis rendu compte que le jour où j'ai arrêté mon sport, j'ai arrêté de prendre des médicaments.

Q : Comment voyez-vous le sport maintenant ? Il y a plein de grands rendez-vous qui s'en viennent, je pense au Tour de France, à l'Euro 2004, je pense surtout à Athènes, où vous ne serez pas... Comment voyez-vous les choses, ces Jeux olympiques avec tout ce que vous savez ?

R : Avec beaucoup d'incompréhension. Je me rends bien compte qu'il y a un système de dopage agrippé à la machine. Néanmoins, le sport doit continuer, parce que le sport c'est quand même mettre en avant la santé. Aujourd'hui, ma mère a 60 ans et je l'encourage à aller courir pour son bien-être, parce que c'est important. Donc le sport, c'est beau. Toutefois, avec les techniques d'entraînement, tous les médicaments qui circulent et qui font que le sport de haut niveau est devenu un spectacle... je ne serai pas spectateur. Je ne serai pas admirateur. Je pense que je regarderai quelques disciplines sportives et que j'essaierai de les vivre avec beaucoup de recul. J'espère qu'un garçon comme David Douillet (champion olympique de judo) l'a fait, qu'un Français nous fasse revivre ces même émotions. Je pense qu'un mec comme Douillet est un mec intègre qui n'a pas triché. Lorsqu'il a gagné la médaille d'or aux dernières olympiades, ç'a été un grand jour pour moi. Eh bien, je pense que je vais revivre ça. C'est vrai que dans mon sport d'athlétisme, je vais avoir beaucoup de mal à prendre du plaisir.

Q : J'ai le sentiment que vous dites que les sportifs de haut niveau sont des gens malades...

R : Oui c'est vrai. Je pense que la première maladie qu'ils ont c'est le narcissisme. C'est-à-dire qu'ils se regardent, ils regardent leur nombril. Il faut toujours être le plus fort, le plus beau, le plus grand. C'est vrai qu'on les rend narcissiques, on les rend omnipotents, c'est vrai tout ça. Néanmoins, je crois qu'il faut accepter de perdre. Stéphane Diagana (athlète français, champion d'Europe du 400 m haies) a dit un jour un truc génial. On lui posait la question : « Ah monsieur Diagana, vous avez été champion du monde en 1997 et après vous avez perdu. Vous n'avez pas eu envie de vous doper pour regagner ? », Et il a répondu : « Eh bien, avant de penser à me doper, je me suis surtout demandé : "Mais qu'est-

ce que j'ai fait pour perdre, qu'est-ce qui ne s'est pas bien passé?" »
Je pense qu'aujourd'hui le sport a besoin de ça. Il a besoin de gens,
de psychologues pour dire: « Pour faire une performance, il faut
ceci et cela. Si vous avez pas ça, essayez ceci, et si vous pouvez pas
l'avoir, c'est pas grave… » On ne peut pas toujours être le premier
de la classe et puis la victoire, on s'en rend compte, c'est tellement
éphémère. Qui se rappelle aujourd'hui la médaille d'or de Joseph
Mamou en 1984? Personne, parce qu'on regarde le prochain
médaillé. Et à la prochaine médaille, on l'oubliera, et on regardera
la suivante. Tout ça, c'est éphémère, il faut s'en rendre compte. Il
faut se projeter, il faut donner le meilleur de soi-même au jour J,
au moment présent, et se dire que si ça ne se passe pas bien, ce
n'est pas grave, ce n'est que du sport.

**Q: Quand on voit que l'on reconstitue des ligaments, des carti-
lages, quand on voit que l'on commence à penser aux manipulations génétiques, selon vous, que restera-t-il au sportif de
demain? Y aura-t-il encore de vrais sportifs, des vrais êtres
humains qui feront des compétitions?**
R: C'est une question très délicate. Si l'on arrive à prendre conscience que le sport nécessite une certaine intégrité, une certaine
honnêteté, et une continuité dans cette honnêteté et dans cette
intégrité, je pense que l'on réussira. Si le pouvoir éducatif qu'a un
sportif par rapport au dopage ou si quelqu'un qui ne s'est jamais
dopé réussit à faire comprendre à un jeune que le sport a des
vertus, que c'est une belle chose, on y arrivera. Si, par contre, les
pouvoirs politiques ne nous aident pas, nous les sportifs, à
équilibrer les plateaux de la balance, on n'y arrivera jamais. Il faut
que la machine aille moins vite, il faut accepter qu'elle aille moins
vite, accepter qu'un homme coure le 100 m en 10,3 secondes aux
Championnats du monde.

**Q: Vous n'avez pas l'impression que le sportif est trop petit par
rapport aux exigences du sport moderne?**
R: Bien sûr que oui. Prenez par exemple un équipementier. Un
équipementier fabrique un modèle de chaussures, et deux mois
après il en fabrique un nouveau, et deux mois après encore un

nouveau. Il fait toujours appel à des nouvelles technologies et ces nouvelles technologies vous cassent un peu. On n'a jamais le temps de s'habituer à elles, car il y en a d'autres qui arrivent. Et le sportif qu'est-ce qu'il fait? Eh bien, il teste ces nouvelles technologies, tout comme il teste les technologies d'entraînement, tout comme il teste… Voyez Athènes. En ce moment, le grand débat est: seront-ils prêts à temps? Mais ce que l'on oublie c'est qu'il y a des sportifs qui viendront, et qui sont déjà en train de se doper pour en arriver là. Il y a des gens qui sont en train de s'user la santé, parce qu'ils ont décidé de ne pas se doper, pour essayer de battre des gens dopés. Mais c'est débile. Je pense qu'il faut essayer de trouver cet équilibre du vrai sport, quitte à retourner à l'olympisme de Coubertin qui disait: «L'essentiel c'est de participer.» Eh bien je pense que de Coubertin n'avait pas tort…

Q: Donc si je vous comprends bien, le sport ce n'est plus la santé?
R: Ah bien non. Il y a un problème de santé publique dans le sport. Le problème c'est que sans prise de sang, on ne peut plus s'entraîner. Sans fer, on ne peut plus s'entraîner parce qu'on finira 10e, et que finir 10e nous fera perdre tous les avantages financiers que l'on avait gagnés en étant premier.

Q: Que faites-vous maintenant?
R: Je travaille dans la branche maladie de la Sécurité sociale. Je suis technicien en formation, j'aurai un diplôme au mois de juin, qui est pour moi une échéance très importante. Ce métier-là est pour moi le plus beau métier que j'ai pu faire après mon métier de sportif de haut niveau, parce qu'il touche à tous les vecteurs sociaux, autres que le sport, que le sport dans lequel j'étais. C'est-à-dire la prévention pour la santé, lutter contre la précarité. J'étais précaire dans mon sport, et la prévention pour la santé, j'étais pas dedans du tout, ma santé était en danger. Et je préviens l'insécurité sociale dans laquelle moi-même j'étais. J'ai trouvé la raison à la fausse route que j'étais en train de prendre. Je me suis trouvé un métier. Un homme me l'a donné. Il a su ce qui m'était arrivé par la presse. Il a lu le journal du 26 juillet et m'a convoqué le

2 août dans son bureau et m'a dit: «Voilà monsieur Desaulty, je vous propose ce métier-là.» Aujourd'hui, je gagne modestement ma vie, mais je vis un bonheur quotidien, tous les jours. Et en plus, je me rends compte que j'ai un devoir. Celui de montrer aux gens, ceux qui bossent à la Sécurité sociale, que j'ai fait du sport de haut niveau, mais que je suis dynamique, que le sport c'est beau. Ils me voient, ils voient que j'ai du «pep», que je monte les escaliers en courant. Je suis quelqu'un à part, parce que je n'ai pas pris de poids. J'ai gardé tout ce qu'il y avait de bien dans mon sport. C'est-à-dire que j'ai gardé la diététique, mais j'ai retiré les médicaments; j'ai gardé le bon esprit, j'ai enlevé le mauvais esprit, c'est-à-dire celui où l'on envie le vainqueur quand on est vaincu. J'accepte la défaite…

Q: Les hourras aux lignes d'arrivée quand vous passiez en tête et les applaudissements, les articles dans les journaux ne vous manquent pas?
R: C'est vrai qu'il y a des jours où je reprends mon *press-book* et que je le regarde avec un peu de nostalgie, mais très vite je revois ce qu'il y avait en arrière, l'hypocrisie, et que si c'était pas moi c'était un autre. Ça veut dire quoi? Eh bien ça veut dire que derrière ça, ça ne me plaît pas.

Q: Et si c'était à refaire?
R: Si c'était à refaire, je ne le referais pas ou je le ferais différemment. En 1992 je suis parti en sport-études, j'ai quitté ma ville natale pour faire du sport de haut niveau, eh bien aujourd'hui, je resterais dans cette ville natale. Je resterais avec Philippe Barbier, mon entraîneur qui m'a formé. Je ne ferais peut-être jamais 8 m 16 s, mais au moins je suis persuadé que j'aurais rencontré ma femme, que j'aurais des enfants et que j'aurais peut-être pu faire un métier où je gagnerais un petit peu mieux ma vie. Je me serais construit différemment. J'aurais continué à faire du sport, mais je pense que je ne serais pas tombé dans le dopage. En voulant optimiser mes performances, tôt ou tard je devais me doper. En les acceptant, simples, comme elles viennent, je crois que je ne serais pas tombé dedans.

Q : Vous avez parlé de votre progéniture, que se passera-t-il le jour où l'enfant ouvrira le *press-book* de papa et demandera des explications, et éventuellement vous dira : « J'aimerais ça courir, papa… » ?

R : Je lui dirai une chose qui est claire, elle ne commettra pas les erreurs que j'ai commises, parce que je vais me battre pour me rappeler tous les pas que j'ai faits pour savoir vraiment le jour où a commencé ceci et cela. Grâce à ça, je ferai tout mon possible pour ne pas qu'elle répète les mêmes gestes. Si un jour elle veut faire un sport de compétition, elle pourra le faire. Je vois qu'elle a ça dans le sang. Chaque jour, quand je la dépose à l'école, pour aller jusqu'à la porte, elle veut faire la course avec moi. Pourtant elle n'a que 5 ans et elle ne m'a jamais vu faire du sport de compétition. Une fois, elle est venue me voir en compétition, mais elle n'en a pas eu conscience. Elle a ça dans le sang. L'être humain a la compétition dans le sang. La première chose que je lui apprendrai c'est à perdre. Là, elle ne le sait pas, parce que dès que je la double, elle pleure. Le problème, c'est que pour moi je pense que ça sera un challenge de lui faire accepter de perdre. Ce sera dur parce que, je vous l'assure, dès que je la dépasse, elle fond en larmes. Il faut déjà que je panse ses plaies.

Q : Quand elle sera en âge de raison, en âge de comprendre, vous allez lui dire la vérité ?

R : Bien sûr que je lui dirai la vérité. Je l'ai dit à tous les gens qui m'ont posé la question : « Honte à moi si je ne le dis pas à ma fille, honte à moi ! »

Q : Vous avez dit tout à l'heure que l'EPO était en train de détruire votre sport, pourquoi ?

R : Avant que l'EPO soit détectable, il y a eu beaucoup de records du monde faits avec l'EPO. Par intégrité, je ne donnerai pas les noms, mais je peux citer des records, ceux du 3 000 en 7 m 20 s ; après on peut essayer de chercher qui l'a fait, ça m'est égal. Le 7 m 20 s est un record surhumain. Prenez les records avant que le 7 m 20 s n'arrive… progressivement, on a eu 7 m 32 s, 7 m 33 s… On le voit sur les images et les archives de l'époque, avec une grande souffrance. Alors que 7 m 20 s, ç'a été réalisé sans souf-france. C'est la preuve même que cette substance a dû aider à accomplir ça. Peut-être que je me trompe, avec mes excuses si c'est le cas, mais je suis malheureusement persuadé que ce n'est pas le cas. Depuis que l'EPO est détectable, on refait 7 m 32 s, 7 m 33 s, les performances de l'époque. Je pense que même s'il y a toujours une prise de l'EPO, elle est faite en moins grande quantité. Un jour j'ai entendu, et c'est là que ça m'a convaincu que l'EPO était responsable de tout cela, le responsable de l'Union cycliste internationale qui a dit un propos révélateur : « Nous avons fait les contrôles sanguins pour diminuer la prise de l'EPO… » Il l'a dit à l'antenne, c'était sur France 2, pendant le Tour de France, après l'affaire Festina. C'est-à-dire que ce jour-là, il a dit ouvertement qu'il savait déjà que l'EPO circulait, avant que ce ne soit détectable, et en 1997 elle ne l'était pas. Alors toutes les performances, tous les records du monde ont été faits à l'aide de médicaments. Ça veut dire que si demain on enlève tous les médi-caments, on retire tout, le sportif courira avec des références irréelles, il n'aura plus de repères, si ce n'est celui d'avoir la sensation d'avoir fait un effort. Je crois que c'est là que l'on doit revenir. Donc voilà pour l'EPO, et il y a d'autres oxygénateurs, les hormones de croissance… C'est vrai, l'hormone de croissance on n'en parle pas, mais c'est de la merde et c'est pas détectable. Ils s'amusent à dire qu'ils réussiront à la détecter mais… je crois que c'est pour que les athlètes aient peur. Tant qu'un produit n'est pas détectable, eh bien on n'a pas peur de le prendre. La seule peur, c'est la sanction…

Q : Et comme sportif, qu'elles ont été vos réactions quand vous avez vu un athlète comme Michael Johnson ?
R : L'année des Jeux olympiques d'Atlanta a été une année difficile pour moi, parce que j'ai été blessé pendant neuf mois. J'ai essayé de me qualifier pour ces olympiades, je n'ai pas réussi. Et j'étais contre le dopage à cette époque. Mais j'ai vu un homme faire 19,32 secondes avec une facilité… J'ai vu une machine courir. Et là, je me suis rendu compte que l'homme dans le sport, dans la situation qu'il était, était devenu de la machinerie, des réglages, la

Formule 1 d'aujourd'hui. Et c'est d'écouter les commentaires de certains sprinters américains, quand ils ont vu ça. C'était devenu irréel. Ce n'était pas possible. Un homme ne peut pas faire ça, c'est pas possible! Même encore aujourd'hui, 19,32 secondes… Regardez, les autres courent en 20 secondes avec du mal. Qu'on ne me fasse pas croire que cet être est unique, parce que je suis désolé, depuis des années, des sprinters vont et viennent. Et je veux dire des Michael Johnson, il y en a déjà eu, sauf que je crois que lui a tellement optimisé certains secteurs… Prenez un athlète lambda, donnez-lui des substances, c'est sûr qu'il ne fera pas 19,32 secondes… Peut-être que cet athlète n'a pas pris de substances, car il n'y a pas eu de contrôle positif, mais c'est là tout le problème du sport. Il faut avoir positivité pour dire qu'il y a dopage. Ça veut dire quoi? C'est là-dessus que s'appuient les instances organisatrices, les instances fédérales, les instances… Il faut qu'il y ait positivité pour dire qu'il y a dopage. Je pense qu'il faut aller au-delà de tout ça, qu'il faut rendre les performances plus réelles, plus humaines et les accepter comme telles. Il faut que les gens soient honnêtes! Si Michael Johnson ne s'est pas dopé, moi je lui tire mon chapeau! Mais ce qu'il faut savoir c'est que s'il y a des hommes pour le faire… Si lui ne s'est pas dopé, d'autres le feront, parce que 19,32 secondes, c'est trop!

Q: Mais justement, comment avez-vous réussi à éviter les contrôles, les tests?
R: On va prendre l'exemple de l'EPO, le produit que j'ai utilisé. Le 9 juin, j'ai été contrôlé à l'EPO et je n'ai pas été déclaré positif… Ça veut dire que j'ai compris comment faire pour ne pas me faire prendre. Je le dis simplement, l'AMA, l'Agence mondiale antidopage, met en accès libre, pour tout le monde, le test de validation de détection de l'EPO. Dans ce test, vous trouvez en filigrane les solutions pour ne pas être contrôlé positif. On vous explique avec des courbes le pourcentage de positivité des résultats d'un athlète qui prend de l'EPO et d'un athlète qui n'en prend pas. Celui qui en a pris sait comment il fait pour ne pas être coincé. S'il a pris de l'EPO 72 heures avant et que ça fait tant de pourcentage de positivité… donc il en déduit qu'avec 105 heures

il est beaucoup moins positif. Et puis on le voit bien sur les images photoélectriques, c'est explicite. Puis vous faites le lien avec le Vidal, avec la demi-vie du produit et voilà! C'est vrai, il faut être autodidacte, c'est vrai il faut chercher la science, mais je veux dire qu'elle est ouverte à tout le monde. Vous posez une question à des gens qui vous aideront un petit peu, sans penser que vous êtes en train de tricher, ils vous répondront naïvement. Prenez Jean-Pierre de Mondenard ou Gérard Dine, vous leur posez ces questions-là, ils vous expliqueront ce que je vous explique. Il faut retirer tout cela d'Internet, c'est important, retirer toutes les possibilités à un sportif sur lesquelles il peut s'appuyer pour tricher, il faut le faire. Ne plus citer de médicaments quand les journalistes font des enquêtes, ne pas citer de produit, parce que le sportif qui veut se doper, évidemment s'il veut pas tricher, prendra les produits autorisés. Mais est-ce que ces produits autorisés ne sont pas dangereux pour la santé? Ça on ne le sait même pas, parce qu'on détourne leur sens thérapeutique. Il faut retirer tous les renseignements qui permettent à un sportif de tricher.

Q: Stéphane, merci pour votre franchise et votre accueil dans cette ville d'Amiens, et bonne chance dans votre nouvelle profession, nouvelle passion, j'ai l'impression.
R: Merci, je crois qu'il n'y a pas mieux qu'un métier utile pour s'épanouir.

Rencontre avec Willy Voet

« On lui avait mis un préservatif dans l'anus, et par le petit tuyau, on remplissait le préservatif qui se déroulait dans le corps et il passait les contrôles comme ça ! »

Le mercredi 8 juillet 1998 restera gravé à jamais dans la mémoire de Willy Voet. Ce modeste soigneur qui aimait « rendre service » se retrouvera au cœur d'une des plus terribles histoires du dopage sportif. Une affaire qu'on appellera l'affaire Festina, du nom de l'équipe cycliste qui sera au centre d'un tsunami médiatique mondial. Une affaire qui amènera les autorités sportives internationales à organiser la première conférence mondiale sur le dopage à Lausanne. Conférence qui aboutira à la création d'une Agence mondiale qui élira plus tard domicile à Montréal.

Mais revenons à ce mercredi 8 juillet 1998. Il est 6 h 30 quand Willy Voet, qui est alors soigneur de l'équipe cycliste Festina, arrête sa voiture au poste douanier de Neuville-en-Ferrain, à la frontière belge. Les douaniers saisiront un impressionnant arsenal de produits dopants. Un immense panier pour un drôle de pique-nique. Tout est là ! En guise d'entrée des stéroïdes anabolisants, comme plat principal des doses d'érythropoïétine (EPO), pour dessert des produits masquants. En tout, pas moins de 400 fioles, capsules et gélules de toutes sortes. Un arc-en-ciel au pays de la dope. À quelques centaines de kilomètres de là, à Dublin en Irlande, le peloton s'apprête à donner ses premiers coups de pédale pour la première étape du Tour de France. Les leaders de l'équipe Festina, le Français Richard Virenque et le Belge Alex Zülle ne savent pas encore quel raz de marée se prépare du côté de la frontière belge. Une chance pour eux, la France est en pleine Coupe du monde de soccer et l'affaire est quelque peu étouffée par les chances «historiques» pour les Bleus de gagner le prestigieux trophée.

Mais l'arrestation, puis l'incarcération du soigneur Willy Voet accélérera les choses.

Du côté des organisateurs du Tour de France, on tente de minimiser les choses; du côté de l'équipe Festina, on préfère faire le mort. Du fond de sa cellule de la maison d'arrêt de Loos, dans le nord de la France, Willy Voet se sent abandonné. Lui qui a été le fidèle serviteur, le confident, le gérant des âmes et des corps de tellement de coureurs se retrouve seul face à sa conscience. Se demandant ce qu'il a fait de mal. Lui qui, tant de fois, a fait ces «drôles» de voyages avec un seul but: «que les gars fassent le métier», comme il me l'a répété sans cesse. Se sentant «largué» par ses patrons, Willy passe aux aveux. Il me confiera lors de notre première rencontre en 1999 que sa femme recevait d'incessants coups de téléphone de membres de l'organisation Festina leur demandant d'être patients et que tout finirait par s'arranger, mais qu'il ne devait en aucun cas parler. Une menace à peine voilée que sa femme ne supportera pas. Le jeu n'en valait plus la chandelle. Puis c'est l'escalade hiérarchique. Le directeur sportif de Festina, Bruno Roussel, est entendu par les enquêteurs. Puis c'est au tour du médecin belge de l'équipe Eric Ryckaert. Vient ensuite la descente de police à l'hôtel où loge l'équipe Festina. L'ambiance sur le Tour de France est complètement gangrenée par l'affaire. Le grand patron du Tour, Jean-Marie Leblanc, tente de sauver les meubles; les coureurs, eux, sentent l'étau se resserrer, même si la déclaration «émouvante» de Richard Virenque, qui jure devant Dieu qu'il n'a jamais rien pris, ne convainc que très peu d'observateurs. Finalement, le directeur sportif craque à son tour et avoue un dopage institutionnalisé au sein de l'équipe. C'est le début de la fin pour l'image du cyclisme professionnel. Même le très «volatil» Hein Verbruggen, grand patron du cyclisme international, n'arrive pas à éteindre l'éruption médiatique.

Dans toute cette affaire, Willy Voet est humilié, lâché par ses «meilleurs amis». Il est le véritable lampiste de toute l'histoire.

Un homme qui n'a pas compris tout de suite ce qui arrivait. Un véritable serviteur du cyclisme d'une autre époque. Un homme d'honneur qui aurait pu être chevalier dans un autre siècle. Willy Voet est tombé dans un piège sans savoir que c'était tout le terrain qui était miné depuis le départ.

Six ans plus tard, je le rencontre dans un hôtel de Gap, dans le sud de la France, non loin de son domicile. Il n'a pas changé. Ses petites lunettes sur le nez lui donnent l'air d'un philosophe russe. Son crane rasé qu'il attribue « aux cheveux qu'il s'est faits dans le métier » et sa poignée de main, franche et rude. Des mains qui ont tellement soulagé les pires souffrances des hommes du vélo. Des mains aussi qui ont savamment préparé les fioles des apprentis sorciers de la petite reine.

D'entrée de jeu, Willy me montrera qu'il n'a pas changé, toujours aussi franc, direct, drôle aussi. « Tu viens du Canada pour me voir ? Tu as encore des questions à me poser ? Avec le temps je croyais t'avoir tout dit ! » C'est ça, Willy Voet. Avec toute cette poussière retombée, refaisons un peu l'Histoire avec lui.

Q : Willy, comment a commencé votre aventure dans le cyclisme professionnel ?
R : J'étais d'abord coureur cycliste. J'ai couru avec Merckx, et avec pas mal de professionnels, de très bons professionnels. Mais vraiment, moi, je n'étais pas trop bon, parce que j'avais pas trop envie de m'entraîner, pas trop envie de faire le métier comme il faut. C'est pour ça aussi que je n'y suis pas arrivé, mais la passion elle y était. J'ai toujours fait du vélo en Belgique, parce que c'est normal. La Belgique c'est un peu le pays du vélo. Et puis, je suis allé travailler et j'ai quitté le cyclisme. Un jour, je me suis retrouvé avec un ancien collègue de course qui m'a dit : « Tu devrais faire des stages pour être masseur. » J'ai suivi son conseil et je suis devenu masseur. Et voilà, c'est parti de là. C'est en 1972 que je suis devenu masseur dans une équipe professionnelle.

Q : Petit à petit votre rôle de masseur a pris une tout autre dimension ; vous avez évolué en même temps que le cyclisme et ses exigences. Comment votre métier a évolué et comment

avez-vous été contraint de faire autre chose que de masser? Comment s'est passé votre entrée dans l'univers de la dope dans le cyclisme?

R: Au début, c'est vrai, j'avais quelques connaissances des coureurs avec qui j'avais couru; mais au départ, donc, il faut gagner la confiance! C'est pas tout de suite qu'on commence à faire des préparations, c'est-à-dire du dopage. Il faut que le mec, il te fasse confiance. Ça dure quelque temps quand même et il faut faire ses preuves. Quand on est dans ce milieu, il y a pas mal de gens qui te connaissent, mais il y en a d'autres qui ne te connaissent pas, donc ils ne dévoilent pas tout de suite ce qu'ils font, ce qu'ils prennent. Petit à petit, j'ai gagné leur confiance et moi j'ai pris confiance. Quand j'ai commencé en 1972, je faisais déjà des petites préparations pour certains mecs, mais à l'époque c'était quand même un petit peu plus artisanal, c'était pas pareil qu'aujourd'hui...

Q: C'était quoi l'artisanal à l'époque?

R: C'était un peu chacun de son côté. Chaque coureur avait son docteur chez lui. Et chaque docteur faisait ses petites ordonnances pour avoir deux ou trois médicaments; à l'époque c'était pas compliqué d'obtenir des médicaments. C'était gentil, si l'on peut dire. Chaque coureur avait sa petite trousse, avec ses petites piqûres, ses petites pastilles. Moi aussi, j'avais déjà une petite pharmacie, qui progressivement devenait de plus en plus grosse.

Q: Que retrouvait-on dans la pharmacie de Willy? Vous dites que chaque coureur avait sa trousse. Qu'y avait-il dans la trousse et vous qu'aviez-vous en plus, en terme de médicaments?

R: Alors nous à l'époque, je parle des années 1970, c'était surtout les anabolisants, les stéroïdes, les testostérones et les amphétamines. Il n'y avait pas beaucoup de contrôles médicaux dans les courses. C'était surtout stéroïdes, testostérone, cortisone et amphétamines. À la longue, étant donné que certains coureurs se déplaçaient souvent, j'ai rempli ma pharmacie pour avoir des réserves, quoi! Après c'était moi qui tenais la pharmacie tout seul. Le coureur ne prenait plus le risque de transporter sa trousse. Donc petit à petit, ce fut moi le transporteur.

Q : Donc on allait voir l'ami Willy, on savait qu'il avait telle dose de cortisone, telle dose de testostérone… c'est comme ça que ça se passait ?
R : Bien sûr ! Surtout quand on faisait telle course ou telle autre course par étape, on connaissait les gélules ou les pastilles dont on avait besoin. On faisait des calculs et c'est moi qui m'occupais d'acheter pour eux et eux me remboursaient. À l'époque, c'était comme ça. C'était pas organisé dans les équipes, c'était artisanal.

Q : Mais Willy, personne n'avait peur des contrôles ? Vous dites qu'il n'y en avait pas beaucoup, mais on n'avait pas peur à l'époque ?
R : Mais non, le contrôle en général on passait bien à travers. Y avait plein de petites astuces…

Q : Par exemple ?
R : Par exemple, quand au départ on passait au contrôle, on mettait un petit flacon dans son cuissard avec de l'urine saine et puis on tournait un peu le dos au docteur et c'était pas très compliqué, mais…

Q : Attendez, vous êtes en train de me dire que dans le cuissard du cycliste, il y avait de l'urine « propre » ?
R : Ben oui ! On préparait le coup. On savait quand même ce qu'avait pris le coureur, et s'il avait pris un produit qui était pas bon pour le contrôle, on préparait une petite topette avec de l'urine saine qu'on glissait dans le cuissard. Il fallait quand même qu'elle reste chaude car, quand le docteur prenait le flacon, il fallait que cela ressemble à la chaleur d'un corps humain. Il fallait faire gaffe à pas mal de choses, mais c'était pas trop compliqué. C'est après que ça s'est gâté. Les médecins commençaient à voir qu'il y avait de la triche, et puis ils ont attrapé quelques mecs avec leurs petits flacons dans le cuissard… mais on avait déjà trouvé autre chose…

Q : Par exemple ?
R : Par exemple, eh bien un autre système, un peu plus compliqué, parce que les coureurs devaient se mettre tout nu. On ne pouvait

plus cacher les flacons. Donc, on avait trouvé un système avec un
petit tuyau qu'on mettait entre les fesses du coureur, et au bout
duquel on avait mis un préservatif. On plaçait le préservatif dans
l'anus, et par le petit tuyau, on remplissait le préservatif qui se
déroulait dans le corps, et le coureur passait les contrôles comme
ça. Il fallait aussi gagner la confiance du docteur. Alors, pour
montrer qu'il n'avait rien à se reprocher, le coureur se mettait tout
de suite tout nu, le docteur se disait : « Ouais bon, en voilà encore
un qui n'a rien à cacher », il avait gagné sa confiance. Après, il
prenait le petit flacon à remplir et enlevait le petit bouchon qui
était prévu au bout et hop, avec la pression du corps, l'urine
sortait toute seule. Le tour était joué !

**Q : Petit à petit ça c'est compliqué, vous dites. Les contrôles
devenaient plus difficiles et les médicaments aussi commençaient à changer, vous deviez vous adapter. Comment ça fonctionnait ?**
R : Après ça commençait à être plus compliqué. C'est toujours
pareil, les mecs commençaient à parler entre eux. Tout se sait à la
fin. On a dû changer de médicaments. On cherchaient des
médicaments qui n'étaient pas détectables au contrôle. Au début
des années 1990, on commençait à parler d'un produit qui faisait
remonter le nombre de globules rouges. Il ne faut pas oublier que
dans les années 1970-1980, on avait déjà fait quelques perfusions
sanguines, qui étaient très dangereuses, parce que tout seul c'est
pas évident. C'est pas sanitaire et très compliqué. Et on ne peut
pas faire des choses comme ça, sans docteur. Donc quand t'étais
dans une équipe qui n'avait pas beaucoup de sous pour embau-
cher un docteur, c'était très compliqué. Mais ça se faisait quand
même, mais je ne vous dis pas dans quelles conditions. Des conditions que l'on peut dire à la limite du dangereux quoi ! Mais enfin,
on pense toujours que les accidents n'arrivent qu'aux autres.
Donc, après ces histoires de perfusions, on avait entendu parler
d'un produit qui faisait remonter les globules rouges, les hormones, c'était le fameux EPO. Mais on ne connaissait pas trop. On
commençait à voir les Italiens qui roulaient comme des motos
dans les montagnes, et nous on comprenait plus rien. J'avais

commencé à travailler avec le Dr Ryckaert. Et lui se renseignait un peu après d'un collègue en Italie…

Q : Pour que l'on comprenne bien, quand vous dites ON, c'est que vous étiez toujours avec le Dr Ryckaert ?
R : Oui, oui, bien sûr. J'ai travaillé 20 ans avec le Dr Ryckaert. C'est pour cela qu'il me faisait confiance, il m'a beaucoup appris, il ne me cachait rien. Il m'expliquait tout, comment il fallait faire, parce que je faisais pas mal de courses tout seul, il n'était pas là, mais je connaissais bien mon métier. On a donc cherché à avoir ces produits et à un moment donné on en a trouvé. On a commencé en 1992-1993 à travailler avec l'EPO. Mais au début il fallait apprendre à travailler avec ça, avec des prises de sang, et tout ça.

Q : Vous faisiez des expériences ?
R : On faisait des expériences oui, en quelque sorte. On a eu quelques mecs qui étaient bloqués, dans le langage du vélo, on dit cela « ils étaient bloqués ». On avait mis des doses trop fortes ou pas assez fortes. Quand elles étaient trop fortes, le mec avait les deux pieds sur les pédales et il ne pouvait pas avancer. Il fallait apprendre à bien travailler avec ce produit.

Q : Mais c'était dangereux Willy ! Quand vous parlez de l'EPO, il peut y avoir des complications, donc vous faisiez tout de même des expérimentations limites ?
R : Oui, bien sûr. Au début, on n'avait même pas le sentiment de tricher en utilisant ces produits-là. Le docteur était tout de même assez prudent. Le taux d'hématocrites était toujours bien contrôlé. On a jamais été à plus de 54 %, alors que certains coureurs, des Italiens par exemple, n'hésitaient pas à monter à 60, 62. Monter à 60, 62 ça veut dire que le sang était épais comme du sirop, de la mélasse. Et comme ils ont déjà une fréquence cardiaque très basse, avec le sang très épais, ça devient très dangereux pour le cerveau, le cœur et tout ça. Très dangereux. C'est pour cela que je dis que notre docteur a toujours été raisonnable, si je peux dire. Cela explique aussi qu'on a très bien performé chez

Festina en 1997. Nous, on n'était jamais plus haut que 54 et, au début de l'année 1997, on a mis la limite du taux d'hématocrites à 50 %. Pour nous, ce n'était pas une grande différence. C'était 4 points. Mais pour ceux qui étaient toujours à 60, 62, on ne les voyait plus. Vous voyez ? C'est pour cela que je dis, oui c'est vrai… il y a toujours eu pas mal de coureurs derrière notre dos. On a appris ça après l'affaire. Il y en a certains qui se mettaient des trucs tout seul dans leur chambre.

Q : Donc vous voulez dire qu'en plus de tout le protocole que vous aviez autour du dopage, il y avait des athlètes qui rajoutaient des choses ?
R : Quelques-uns. Il y avait des coureurs chez nous et, ç'a été prouvé après, qui avaient un autre docteur en Suisse. Ils allaient voir cet autre docteur qui en rajoutait à notre préparation. Alors là, ça devenait n'importe quoi.

Q : Pour qu'on comprenne votre rôle, Willy, vous deviez contrôler chaque coureur, « les organiser » comme vous dites. Mais comment faisiez-vous ? Vous deviez tenir un carnet où vous notiez tout ce qu'ils prenaient et toutes les préparations ? Comment les choses évoluaient ? En fonction des résultats, vous rajustiez les produits ? Comment ça fonctionnait ?
R : J'ai toujours eu un carnet, avant même l'époque de l'EPO. Moi j'ai toujours noté ce que les mecs prenaient. J'avais fait une sorte de fiche, comme le font les docteurs. J'ai toujours eu mes fiches. Je notais ce que prenait le mec le matin, le soir et en récupération. J'ai toujours noté tout et aussi les résultats : comment ils ont marché ce jour-là, et qu'est-ce qu'ils ont fait comme résultat. Ce qu'ils avaient pris. Si ça marchait bien. Donc ces fiches-là, c'était encore plus important quand on a commencé l'EPO. Car avec l'EPO, il y avait l'hormone de croissance, la testostérone, des mélanges de 6 ou 7 produits. Donc ce produit-là, il ne fallait pas négliger de savoir quand et comment on le prenait. C'est pour cela que pendant toutes ces années, j'ai eu des carnets remplis avec les préparations des mecs.

Q : Étiez-vous tenté d'essayer vous-même les produits ?

R : Bien j'ai essayé 2-3 produits, moi je ne faisais pas d'efforts, je ne faisais pas de vélo, mais c'était surtout pour savoir combien de temps ça restait dans les urines et dans le sang. Par exemple, quand on a commencé à travailler avec le clenbuterol, avant de l'utiliser j'en ai pris pendant sept jours. Ça, c'était le programme ! Après j'ai attendu. Le 7e jour, après la dernière prise, j'ai commencé à uriner dans un flacon et j'ai marqué la date et le jour, pendant sept ou huit jours. Et tous ces flacons ont été contrôlés par le docteur dans un laboratoire que l'on connaît en Belgique.

Q : Donc Willy, vous êtes en train de me dire tout simplement qu'il y avait l'organisation pour s'entraîner avec les entraîneurs et il y avait aussi l'organisation à l'entraînement au dopage. Vous dites qu'il y a même des laboratoires qui vous donnaient des coups de main pour analyser tout ça ?

R : Oui. À quelque part, c'est normal, c'est des docteurs. Notre docteur, il avait fait ses études avec un prof à l'Université de Gand. C'était donc un collègue de travail si vous voulez. S'il vient vous voir pour que vous analysiez ce produit, voilà il le fait. Ils sont tous dans le coup, c'est pour ça qu'il faut pas parler.. C'est pas un type comme moi qu'il faut accuser, il faut voir tout l'entourage. Ces urines ont été contrôlées et on savait que le 7e jour c'était bon. Mais pour être sûr, on mettait huit jours.

Q : Donc pendant huit jours vous preniez des produits dopants ?

R : Pendant sept jours j'ai pris des produits dopants, et le 8e jour après la dernière prise, l'urine était *clean*… Donc, on pouvait préparer nos mecs avec ce produit-là, en faisant attention qu'on s'arrête huit jours avant certains contrôles ou avant certains objectifs.

Q : Des Willy Voet, il y en avait un dans chacune des équipes ?

R : Mais bien sûr. Et ils y sont toujours. Moi, quand je regarde la télévision, j'en vois de moins en moins, mais je vois à l'arrivée certains mecs avec qui j'ai travaillé et qui sont toujours là. Ça, c'est un peu énervant pour moi.

Q : Dites-moi, Willy, pour que les gens comprennent bien, que ce soit très explicite, qu'est-ce qui arrivait ? Imaginons une étape du Tour de France, n'importe laquelle, celle que vous voulez. Les coureurs arrivent, qu'est-ce qui se passait concrètement jusqu'à la chambre d'hôtel et quelles étaient vos interventions quotidiennes, pendant le Tour de France ?

R : À mon époque, quand on passait les contrôles, on ne trouvait pas l'EPO, on ne décelait pas l'hormone de croissance, qu'on ne trouve toujours pas d'ailleurs. Pour le contrôle, il y avait pas grand-chose à faire, il n'y avait pas la panique. Je montais avec le coureur au contrôle pour voir à ce que ça se passe bien. Après on partait à l'hôtel. À l'hôtel, on faisait la préparation. C'est-à-dire la récupération avec perfusion d'abord, car après avoir monté une montagne, il faisait chaud et tout ça. Les mecs avaient besoin d'une perfusion, parce que quelque part ils sont comme en état de choc. Mais ça c'est pas du dopage, ça c'est bon pour le corps. Après ça, on ajoutait dans les perfusions des minéraux et toutes sortes de vitamines, en général les grosses piqûres ne font pas peur, ce sont les petites qui sont dangereuses. La récupération devait être faite dans les deux heures qui suivent la montée. Après, on faisait les massages, après les massages, le repas du soir. Après vers 21 h 30, on préparait les fameuses injections d'EPO ou d'hormones de croissance. C'est difficile de vous donner un jour en particulier, parce que tous les sportifs ne sont pas pareils. Il y en a qui ont un taux d'hématocrites plus faible que les autres, alors les injections sont plus importantes pour les uns que pour les autres. Donc à 21 h 30, c'était les injections d'hormones de croissance, d'EPO. La nuit, il fallait prévenir les coups. Chaque chambre avait deux appareils de perfusion d'eau salée, sodium… Il fallait être prêt au cas où il y aurait eu un contrôle le lendemain matin. Je veux dire contrôle sanguin pour calculer le taux d'hématocrites. S'il y avait un contrôle, il fallait faire vite, même si on était toujours avertis avant ! On dit toujours le contrôle ceci ou cela, mais on le sait toujours ! Donc, quand on était avertis, on mettait une perfusion, et le gars qui était à 52 ou 53 %, avec une perfusion de un litre, le taux d'hématocrites descendait de 2 ou 3 barres. Donc pour le contrôle, c'était bon.

Q : Ça prenait combien de temps ?

R : Pour injecter un litre d'eau, ça prenait 20 minutes, pas plus. On peut le mettre à fond, ça risque rien. Donc ça prend 20 minutes, et comme on est averti 45 minutes avant, donc ça ne risquait rien. Il n'y avait pas de problèmes. Comme on était prévoyants, on préparait tout dans les chambres à l'avance, c'était pas du temps perdu.

Q : Donc pour tous ces coureurs, c'était devenu leur quotidien, leurs habitudes, ils n'avaient jamais peur ?

R : Il y en a eu qui ont eu peur, mais malgré cela, ils le faisaient quand même. Disons qu'ils n'étaient pas tranquilles. Mais comme nous, on était jamais plus haut que 54 %, c'était moins dangereux. J'ai connu, dans certaines équipes, des gars qui mettaient leur réveille-matin et qui se levaient la nuit pour faire des pompes, car il fallait faire circuler le sang, pour que ça n'épaississe pas. Il faut toujours faire en sorte que le cerveau soit bien nourri avec le sang, sinon ça commence à être très dangereux.

Q : Ce que vous dites, c'est que dans certaines équipes il n'y avait pas le même contrôle médical…

R : Si, si. Dans les grandes équipes, ils ont les moyens, ils ont les mêmes contrôles que nous. Mais il y a certains docteurs qui prenaient plus de risques et c'est là que ça devenait un peu n'importe quoi…

Q : Avez-vous en mémoire des instants où vous avez failli perdre un coureur en pleine nuit ?

R : Je ne vous dirai pas son nom, parce que j'ai promis à ce gamin de ne jamais le citer. Sa femme n'était pas au courant, bien qu'après elle eut appris ce qui s'était passé. Une nuit, j'entends taper à ma porte. Nous, les soigneurs, on laisse toujours notre porte ouverte et la clef dessus car s'il y a un pépin, le gars peut rentrer sans problèmes, même si c'est pour une aspirine. Donc j'entends taper et je me dis : « Mince j'ai pas laissé la clef ! » Alors je me lève, j'ouvre la porte et le jeune devant moi, il tombe raide dans la chambre ! Je le connais, c'est un ancien coureur avec qui j'ai travaillé dans une équipe précédente. Il était inconscient. Bon moi, je ne suis pas docteur, mais je vois bien qu'il y a un problème. En panique, je vais vite voir le Dr Ryckaert, je tape à la porte pour le prévenir d'un problème avec ce coureur-là. Il vient tout de suite et en voyant ça il dit : « Vite on l'emmène à l'hôpital… » On l'a mis dans une voiture, même si c'était pas un coureur de notre équipe. C'était un coureur d'une autre équipe, mais qui était au même étage que nous. On l'a emmené à l'hôpital. Quand on est arrivés à l'hôpital, il avait un battement de cœur de 32 je crois, et un taux d'hématocrites de 68. Ce jour-là, je peux vous dire que quelque part, on lui a sauvé la vie à ce gars-là. Ça fait vraiment peur, après tu te dis : « Mais à quoi on est occupés ? » C'est pour ça qu'avec le recul je suis content de m'être fait attraper.

Q : Parce que, évidemment, il y aura la course de trop, pas celle cycliste, mais celle au dopage. On vous arrêtera à la frontière et là tous les ennuis commenceront. Vous allez devenir le bouc émissaire d'une vaste histoire.
R : Voilà. C'est là que c'est scandaleux. Ils ont voulu, et ils veulent toujours, tout mettre sur mon dos. J'étais un trafiquant, j'étais un tricheur, j'étais un dopeur… Mais moi, je sais bien que je ne suis pas le seul dans ce milieu qui fait ça. Entre collègues de travail, on se dépannait. Si moi je n'avais pas assez d'un certain produit, j'allais voir un collègue et je lui disais : « Tu peux me dépanner jusqu'à demain ? Parce que demain j'ai des produits qui vont arriver. » On sait bien ce qui se passe, et entre nous on parle de notre travail. C'est ça qui m'énerve. Même les autres équipes ont dit : « Oui c'est lui, c'est le tricheur de Festina, il faut le virer du Tour de France et tout ça… » Mais c'est n'importe quoi, parce que beaucoup de directeurs sportifs dans beaucoup d'équipes françaises, je les ai presque tous eus comme coureurs. Je sais comment ils fonctionnaient et ça c'est énervant…

Q : Donc vous êtes en train de me dire, Willy, à demi-mots, que les directeurs d'aujourd'hui sont les dopés d'hier, c'est ça ?
R : Ben oui ! Tiens, sur six équipes françaises, il y a quatre équipes dont les directeurs sont des coureurs dont je me suis occupé.

C'était moi leur soigneur, alors sans commentaires! Quand on voit les déclarations que font ces mecs-là, hein, eh bien ça me fait bouillir, c'est énervant!

Q: Justement, comment vous voyez ça aujourd'hui? Pensez-vous que les choses ont changé du fait qu'on a des contrôles plus serrés, etc., ou est-ce que, finalement, ils ont encore les petits trucs dont vous parliez à l'époque?

R: Non mais attendez! Regardez les moyennes qu'ils ont aujourd'hui... Il y a des statistiques que tient un collègue, un monsieur que je connais très bien. Sur les neuf dernières années, ils ont des moyennes incroyables dans les étapes de montagne; ils ont fait six fois des étapes à 36 km/h de moyenne. Et, en 2003, lors du centenaire du Tour de France, ils ont fait trois ou quatre étapes de montagne, où ils roulaient à plus de 36 km/h et même une étape à 39 km/h. Alors, si on regarde la moyenne d'aujourd'hui, qu'ils arrêtent de dire qu'ils ne se dopent plus. Ça veut dire quoi? Que les produits qu'on utilisait étaient périmés, ou quoi? Quelque part, ça ne va pas. Faut pas prendre les gens pour des...

Q: Vous avez été longtemps dans le monde du cyclisme, vous savez ce que c'est, on en demande toujours plus aux coureurs. C'est pas possible de courir, comme vous le dites, sans l'aide du dopage, des produits dopants?

R: Si, si, c'est possible, si tout le monde fait pareil. Et c'est ça le problème. Il y a des tricheurs tout le temps. S'il y en a un, deux, trois qui commencent à tricher, les autres font pareil et on voit les différences. Même à l'époque où j'étais encore dans ce milieu, quand un type marchait fort, on disait: «Qu'est-ce qu'il a celui-là? Il a pas la même chose que nous?» On ne disait jamais: «Il s'est entraîné mieux que moi; il fait mieux son métier que moi; il fait plus attention à sa diététique et tout ça...», Tout de suite on disait: «Mais qu'est-ce qu'il a lui, il prend un autre produit que nous...» Et pour revenir là-dessus, si tout le monde fait pareil, les moyennes baisseront, ça c'est sûr. Le spectacle sera peut-être mieux parce que la concurrence sera plus forte. Mais, par contre, ça ne voudra pas dire qu'on aura les mêmes résultats. Ceux qui ne prennent rien, il y en a très peu. Eh bien eux, ils pourront s'exprimer, plus que certains qui se dopent. C'est peut-être pas le même résultat à la ligne d'arrivée, mais au moins c'est propre.

Q : Willy, aviez-vous le sentiment durant toute votre carrière que vous étiez en train de tricher ? Que c'était pas ça en fait le cyclisme ?

R : Non, non. On n'a jamais eu l'impression de tricher, non ! Parce que tout le monde fait pareil. D'une façon moins pointue, plus pointue, mais tout se sait dans le milieu. Alors des fois, comme je le disais au début, nous on était un peu en retard par rapport aux Italiens. On n'avait pas tout de suite des produits comme l'EPO à l'époque, mais le jour où on l'a eu, on a étudié la façon de travailler avec et c'était parti. Pour nous, c'était obligatoire, ça faisait partie de notre boulot. On ne s'est jamais dit : « On triche ». La seule triche était celle au contrôle, quand il y avait des produits qui passaient, et qu'on avait peur qu'ils ne passent pas. C'était là qu'on trichait. Mais je pense que oui on a triché, avec les spectateurs, si vous voulez. On a triché parce que le mec montait le col de Madeleine, par exemple, comme sur une motocyclette, eh bien quelque part, c'est tricher. Les spectateurs, ils sont avec la bouche ouverte et se demandent : « Mais comment c'est possible ? », alors là, c'est tricher. Et on triche avec soi-même, parce qu'on déplace ses moyens, mais entre eux ils ne trichent pas, parce qu'ils font tous pareils. Voilà c'est mon avis.

Q : Ça veut dire dans un certain sens que le Tour de France est devenu une sorte de bataille entre médecins et…

R : Oui c'est ça que j'ai dit. Pourquoi on ne fait pas comme pour la Formule 1 ? En Formule 1, on met le vainqueur sur le podium avec l'ingénieur. Donc, pourquoi on ne mettrait pas le gagnant du Tour de France avec le docteur à côté ? Moi, ce n'est pas la première fois que je dis ça. Et c'est vrai. En Formule 1, Michael Schumacher est sur le podium avec Jean Todt, et voilà, nous on devrait mettre le docteur aussi, parce qu'il y est pour beaucoup, vraiment beaucoup…

Q : Les cyclistes se confiaient-ils à vous, par exemple concernant la peur qu'ils ressentaient face à certains produits qui pouvaient les rendre stériles ou attenter à la santé d'un enfant à venir ? Avaient-ils conscience de cela, en avaient-ils peur ? Je sais qu'il y en a certains qui disaient : « Je vais d'abord faire un enfant avant de prendre des produits dopants pour être sûr. » Que pouvez-vous me dire sur ce sujet ?

R : Il y en a quelques-uns qui m'en ont parlé, mais sans rentrer dans les détails, comme ça, sans réfléchir. Franchement, c'était pas généralisé. On pense toujours que les accidents, ça n'arrivent qu'aux autres, comme les accidents de la route. Quand on a 22 ans, on n'a pas le même sens de la vie, on n'a pas conscience… On est content parce qu'on a la gloire, on a de l'argent. Le mec ne réfléchit pas. Je me rappelle d'un coureur qui était venu dans l'équipe, il était devenu professionnel à 28 ans, c'est déjà assez tard. On était en réunion avec le docteur, il nous dit : « Moi, je ne suis pas à une piqûre près, moi je veux gagner beaucoup d'argent en peu de temps, parce que j'ai déjà perdu six ans… » Il n'a jamais pensé ou dit que ce serait dangereux. Il ne pensait pas.

Q : Willy, parlons de Pantani maintenant. D'abord que pensez-vous de tout cela ? Pensez-vous que c'est suffisant pour que le monde du sport prenne conscience du problème ?

R : Ils ont déjà oublié, je pense. Ils ont déjà oublié, c'est sûr ! C'est très triste parce que quand on meurt à 34 ans, peu importe les circonstances, c'est triste. C'est dommage. Je l'ai fréquenté à quelques reprises… c'était quand même l'adversaire de Virenque pendant quelques années… Je l'ai connu quand même pas mal. Des fois, on se croisait aux contrôles, dans une caravane de contrôle médical et tout ça. Mais c'est vrai, ça m'énerve un petit peu. Quand il est mort, il y a pas mal de journalistes qui m'ont téléphoné pour savoir ce que j'en pensais. Mais c'est pas maintenant qu'il faut se réveiller. Si quelqu'un avait eu l'idée d'aller le voir pour qu'il puisse vider son sac… il avait quand même un gros problème. Et ce gros problème, on ne sait pas ce que c'est. Ça vient sans doute de son exclusion du Tour d'Italie. Imaginez, il est en tête du Giro, la veille de sa victoire du Tour d'Italie, un Italien chez lui... Je trouve que c'est un peu gros qu'on se soit attaqué à lui. Il y a sûrement des choses qui étaient arrangées. Dans ce milieu, il y a tellement de choses qui se sont manigancées derrière le rideau. Lui, il s'est fait exclure comme un malpropre. Moi, je trouve que c'est bizarre. Ce type-là, pendant des années, il se préparait, il se dopait et il pédalait dans la joie, si on peut dire. On est un autre homme, on voit la vie autrement quand on prend des produits, et ça, peu importe ceux qu'on prend. Et tout à coup, ça s'arrête. Là on a beaucoup de problèmes, on ne fait plus d'efforts. Les produits que l'on prend pour courir dans la vie quotidienne on ne les sent pas, alors le mec bifurque vers autre chose et petit à petit, ça devient très dangereux.

Q : On n'a pas encore parlé de toutes les drogues festives, comme le fameux « pot belge ». Vous allez nous en parler, mais ça ce n'était pas pour se doper, c'était pour continuer à avoir une sensation. Racontez-nous c'était quoi.
R : Bien voilà, le pot belge existe depuis des années... On utilisait ça surtout pour faire la fête, pour faire la java (intervention du journaliste : Qu'est-ce qu'il y a dedans ?). Enfin jusqu'à mon arrestation, on ne savait pas tout à fait tout ce qu'il contenait. On savait qu'il y avait des amphétamines et c'est tout. Quand je me suis fait arrêter, j'avais du pot belge sur moi. Ils l'ont analysé et là je suis resté hébété aussi, parce que franchement je ne le savais pas. Si je l'avais su, je le dirais aujourd'hui. Donc, il y avait des amphéta-mines, de la cocaïne, de l'héroïne, des antalgiques, de la caféine, enfin tout pour être accro, quoi. Le mec qui fabriquait ces trucs-là avait prévu qu'on deviendrait accro. Si on prend ce produit – moi, j'en ai pris beaucoup, hein, alors je peux vous dire qu'après j'étais mal pendant 15 jours. Pendant les trois semaines où je suis resté en prison, j'ai souffert, j'ai souffert...

Q : Vous étiez en manque ?
R : Quelque part oui. Mais ça, on ne veut pas le dire. On ne veut pas dire qu'on est dopé, qu'on est drogué. C'est comme un soûlard, il dit jamais qu'il est alcoolique, c'est pareil. Donc, on a pris ces trucs-là pendant des années. Il y en a qui en prenait aussi

pour faire certaines sorties. Des longues sorties d'entraînement. C'était vraiment un produit pour donner un coup de main. S'ils devaient faire une sortie de sept ou huit heures d'entraînement, les mecs prenaient les pots belges. S'il faisait mauvais temps et que les gars n'avaient pas trop envie de rouler, ils prenaient ça et ça donnait un méchant coup de fouet. Naturellement, il fallait toujours calculer pour le contrôle, il fallait qu'il y ait cinq ou six jours d'intervalle entre la course à faire et la dernière prise de ces produits-là. Et autrement, on en prenait après certaines courses quand on avait quelques jours devant soi et qu'on sortait en boîtes de nuit à Paris. Avec ça, on était les rois du monde, quoi !

Q : Maintenant le prochain Tour partira dans 67 jours, je crois. Avec Armstrong qui écrira peut-être une autre page d'histoire (il écrira sa page d'histoire en remportant son sixième Tour de France et son septième en 2005). Ça vous inspire quoi, à vous, tous ces Tours de France gagnés à la suite par un seul et même homme qui a vaincu un cancer ? C'est la belle histoire américaine ? Qu'est-ce que ça vous inspire, Willy ?
R : Pour beaucoup de gens, c'est peut-être une belle histoire, mais pas pour moi... il m'énerve. Les choses qu'il fait ce n'est pas normal. C'est vraiment pas normal. Je ne peux pas dire qu'il se dope parce que je n'ai jamais travaillé avec lui et il est toujours passé à travers les contrôles. Mais il nous doit quand même une explication. Qu'il nous explique comment ça se fait qu'il y a 10 ans, il ne montait même pas un pont de chemin de fer... Un talus, il était lâché ! Il était toujours dans le groupe, jamais devant. Maintenant, il monte le col de Madeleine, le col de l'Iseran, tous les grands cols du Tour de France, il les monte à 30 km/h. Alors qu'il nous explique comment il fait. Et tant et aussi longtemps qu'il ne s'expliquera pas, on aura des doutes. Il a déjà donné deux ou trois explications à des journalistes : « Ouais, j'ai perdu sept kilos. » Ça fait rire ça. Si Cipollini demain, il perd 10 kilos, il ne montera pas un col, ça, c'est impossible. On est grimpeur, sprinter ou rouleur c'est de naissance, ça ne s'apprend pas. Ça ne s'apprend pas, j'ai jamais connu... Lucien Van Impe, à l'époque, c'était un sacré grimpeur. C'était un grimpeur et il n'est jamais

devenu un sprinter. Cipollini c'est pareil, ce ne sera jamais un grimpeur. Et Armstrong, oui! Alors qu'il nous explique comment il a fait, parce qu'aussi longtemps qu'il nous explique pas, moi je le répète, il y a quelque chose, voilà!

Q: Si je vous comprends bien, il n'y a pas de grands champions qui ont réussi seulement à la force de leurs mollets?
R: Oui c'est vrai… Mais tous ces champions, il faut les laisser sur leur piédestal, parce que c'est quand même des hommes à part, sinon ça serait trop facile. Demain, on se fait chacun une piqûre dans les fesses et on fait le Tour. Non c'est pas ça! C'est tout de même des sportifs de haut niveau, des gens dans une classe à part. Mais il y a toujours cette petite chose. Cette petite chose qu'il faut prendre, car il faut faire le métier. Aujourd'hui, on parle de dopage, mais nous, à l'époque, on disait «faut faire le métier, la préparation». Mais moi je le dis: «Armstrong il m'énerve, parce que je ne sais pas moi… J'ai quand même travaillé avec pas mal de champions et lui il revient d'un cancer et il gagne le Tour, non mais attendez! C'est énervant ça! Moi je trouve que c'est énervant!» La seule chose qu'il doit faire, s'il a vraiment été malade, c'est de faire venir ses professeurs et ses docteurs en Europe pour guérir tous les cancéreux qui meurent ici. Parce que la plupart des gens qui ont eu des cancers comme le sien sont morts, ils ne courent pas les Tours de France. De plus, il n'a pas eu seulement le cancer des testicules, il a eu des métastases au cerveau. Mais attendez! Je me rappelle quand j'ai discuté avec le Dr Ryckaert, le docteur avec qui je travaillais quand on a su qu'Armstrong était malade, il m'a dit: «Il n'en a plus que pour six mois!» Et là, il va gagner son 6e Tour. Enfin je ne sais pas moi, je ne suis pas professeur ni docteur, mais je sais ce qu'il faut faire pour gagner un Tour. Ça, je le sais!

Q: Willy, que regrettez-vous avec le temps? Y a-t-il des choses que vous avez apprises et qui, avec le temps, vous servent de philosophie, de sujet de réflexion? Que regrettez-vous d'abord de toutes ces années?
R: Je ne regrette qu'une chose, c'est d'être le seul à être considéré comme le bandit. Ils ont eu l'occasion, tout le monde a eu

l'occasion de parler. S'ils voulaient vraiment lutter contre le dopage, toutes ces équipes-là auraient dû en profiter pour parler. Le jour où je me suis fait arrêté, que Festina m'a montré du doigt, à l'époque, s'ils avaient dit les vraies choses au président du CIO, au président Jean-Marie Leblanc, à tous ces gens-là, s'ils avaient dit seulement : « Maintenant on met tous nos produits sur la table, on fait tous pareil, et cherchons une solution… » Je l'ai regretté quelque part. Mais je ne pense pas qu'un jour ils le feront, parce qu'ils disent toujours que le dopage, c'est les autres.

Q : Parce que Hein Verbruggen (président de l'Union cycliste internationale) et Jean-Marie Leblanc (directeur du Tour de France) sont au courant de ce qu'il se passe ?
R : Eh bien, s'ils ne sont pas au courant aujourd'hui, ils ne le seront jamais. Avec tout ce qu'ils ont appris, avec toutes les affaires qui sont sorties après l'affaire Festina, parce qu'il y en a pas mal qui sont sorties après Festina. Moi, je pense sincèrement qu'il y a un avant-Festina et un après-Festina. Et l'après-Festina, il est pas beaucoup mieux que celui d'avant. Donc s'ils ne le savent pas aujourd'hui, ils ne le sauront jamaisr, hein ? C'est quand même des gens très importants. Ce ne sont pas des imbéciles, ils voient quand même ce qui se passe. Mais c'est difficile à dire. Jean-Marie Leblanc a lui-même été coureur cycliste. Ça fait 30 ans qu'il est dans le cyclisme. Si ça fait 30 ans qu'on est dans un milieu, on sait quand même ce qui s'y passe.

Q : Où s'en va tout ça, Willy ?
R : Je ne sais pas. Je n'en ai aucune idée. C'est de pire en pire et c'est malheureux. Pour les jeunes qui aiment faire du vélo et qui voulaient continuer à en faire, c'est triste, parce que c'est quand même un beau sport. C'est un beau sport, si je disais le contraire je serai un menteur, parce que j'ai quand même vécu 30 ans là-dedans et pas seulement avec les affaires de dopage. J'ai eu de bons moments. J'ai vu des coureurs qui ont gagné de belles courses. Mais c'est vrai que pour les jeunes, c'est triste. Si un jeune me disait qu'il veut faire du vélo, je lui dirais de bien réfléchir, et ça c'est malheureux, parce que, avec ce qui se passe, c'est triste et dur.

Q : Aujourd'hui vous faites quoi ?
R : Je conduis un car, c'est une passion. J'ai changé complètement
ma vie… (intervention du journaliste : Vous montez des cols sans
dopage). Oui voilà, je monte sans dopage. Mais c'est vrai, je
travaille dans une société de transport ici à Gap. Comme j'avais
mon permis de transport en commun, je conduis le car. Bon c'est
vrai que c'est pas pareil. Le patron, le premier jour, quand je suis
allé le voir, il m'a dit : « Mais tu as toujours travaillé dans un milieu
médiatisé, je ne comprends pas bien ! » Je lui ai répondu : « Oui
bien, c'est justement ça que je cherche. » Le matin, je prends mon
car, je ne suis pas connu, je conduis mon car, le soir je rentre, je
gare mon car au garage et je rentre chez moi, et tout va bien.

Q : Est-ce qu'autour de vous les gens vous ont jugé ?
R : En général, les gens sont pas très courageux. Il y a beaucoup de
gens qui me connaissent à cause de l'affaire, donc ils savent qui je
suis. Mais, en général, les gens qui sont pas d'accord avec toi, ils
viennent pas te voir, et les gens qui sont d'accord avec toi, ils te
tapent sur l'épaule en te disant : « Ouais, c'est très bien ce que tu
as fait ! » Mais en général les gens, je le vois quand ils me regardent
de travers, ils ont pas le courage de me dire : « T'es un lâche ; t'es
un ça ; t'as craché dans la soupe… » Ils le disent pas.

**Q : Willy, le vélo est rangé pour toujours dans le garage ou vous
le sortez de temps en temps ?**
R : Je roule un peu avec mon fils pour s'amuser. Des fois, on va à
la pêche en vélo, on roule entre nous. Mais vraiment, le vélo, je le
supporte même plus. Et franchement, c'est bizarre ce que je vais
dire, mais je ne supporte même plus le mec qui roule en vélo et
qui se déguise en Virenque ou en je sais pas qui. Je ne le supporte
même plus et pourtant, peuchère !, ces pauvres gens n'y sont pour
rien. Mais je ne supporte plus ça.

**Q : Je ne vous demanderai pas si vous allez regarder le Tour de
France qui partira bientôt…**
R : Ça peut arriver. Si je zappe et que je vois deux ou trois trucs, oui,
mais rester à la maison exprès comme avant, non ! C'est fini ça.

Q : L'Alpe d'Huez avec le duel, le seul duel entre Pantani et Armstrong… ça vous a fait quelque chose cette image-là ?

R : Non ça ne m'a rien fait. Pas spécialement. Ce jour-là, j'étais à l'Alpe d'Huez, comme consultant pour un magazine belge. Eh bien, ce jour-là, j'étais là et je ne suis même pas allé au bord de la route. Je suis resté dans la voiture. Je discutais avec certains journalistes, et ça m'a rien fait, non. Non franchement. Pour les gens, c'était un beau spectacle, c'est vrai, c'était spectaculaire, mais moi je sais ce qu'ils font les mecs, alors… De toute façon, moi je vais vous dire, admirer ces mecs-là, j'en ai admiré un seul c'était quand j'étais jeune, quand j'étais petit. C'était Rick van Steenbergen, personne ne le connaît. Pourtant, il a été trois fois champion du monde, un Belge, c'était mon idole. J'admirais ce type-là. Et depuis que j'ai travaillé dans le vélo, et je peux vous dire que j'ai travaillé avec de grands champions, je n'en ai jamais admiré un, parce que je sais… Ce van Steenbergen que j'ai connu, je ne sais pas ce qu'il a fait dans sa vie, mais c'était mon idole. Je l'admirais, alors que les autres je ne les ai jamais admirés, parce que je sais ce qu'ils se mettent dans les fesses ! Je les ai respectés, ça c'est vrai ! C'est un métier où il faut travailler, il faut bosser, mais admirer non. Je n'ai jamais été à genoux devant un de ces champions.

Q : Qu'est-ce que ça vous inspire de voir toujours autant de monde sur le bord des routes, malgré tout ce que l'on sait, vous et moi ? Ce que tout le monde sait !

R : Les gens, ils s'en foutent. Ils sont en vacances d'abord. C'est un but pour aller quelque part. C'est un spectacle qui n'est pas payant, donc les gens vont voir un Tour, c'est spectaculaire, c'est beau. Mais moi je dis, et c'est peut-être con ce que je dis, mais tous les gens dont on parle, le dopage, les exploits, lorsqu'on en parle et lorsqu'on le voit à la télévision, eh bien ils sont admirés. Moi-même je le vois. Je suis passé pendant des mois à la télévision à propos de l'affaire de dopage, eh bien les gens me disent : « Ouais on t'a vu à la télévision. » Les gens se foutent que tu fasses un exploit ou pas, du moment que tu es médiatisé, que l'on te voit en vrai ; ils sont là et te regardent comme si tu étais un dieu. Si le Tour de France était au mois de septembre, il y aurait moitié moins de monde sur le bord des routes. Les gens viennent de Belgique, de Hollande, ils viennent en vacances et qu'est-ce qu'ils font? Eh bien ils se rendent visiter un peu à gauche et à droite, et après, puisqu'on est là, on vient voir le Tour.

Q : Willy, avec toutes les nouvelles technologies comme le clonage, la manipulation génétique, on se demande si un jour on arrivera à faire un homme bionique. Vous voyez quoi? Comme vous dites, un homme qui monte comme une motocyclette l'Alpe d'Huez?
R: Il y en a beaucoup qui montent comme une motocyclette. Je rentre pas dans les détails, mais moi j'ai déjà des doutes sur certaines personnes. Et je pense déjà que sur le podium des Jeux olympiques de 2004, je suis sûr qu'il y en aura des dopés génétiquement. Évidemment, on n'est jamais sûr! Mais ça risque…

Q : Vous m'ouvrez une porte, Willy : on a beaucoup pointé du doigt le cyclisme, mais avec les Jeux olympiques qui s'en viennent, comment vous voyez ça?
R: Des sportifs de haut niveau, c'est des sportifs de haut niveau. À l'époque, quand j'habitais Bruxelles, j'ai travaillé souvent avec certains sportifs de judo, de basket, des pilotes de moto et de voiture qui venaient se faire masser chez moi. Eh bien tous ces mecs-là que je fréquentais, ils se dopaient. Tous! Dans tous les sports, il y a du dopage. Les Jeux olympiques, c'est du sport de haut niveau, c'est obligatoire qu'il y ait un suivi médical, qu'il y ait de la triche, du dopage, c'est sûr. Et il y en a qui se feront attraper! Mais, en général, ceux qui se font attraper sont des imbéciles! Les vrais champions, les grands ne se font pas prendre, eux. C'est ça le problème. Mais je pense que oui, les Jeux olympiques, le podium, la génétique, oui…

Q : Vous pensez avoir tout dit?
R: Je veux juste dire une dernière chose. Dans ce milieu, on parle et c'est fini! On veut plus de toi parce que tu es le mouton noir, tu as craché dans la soupe. Mais moi j'ai toujours dit que si on

crache dans la soupe et qu'elle est déjà pourrie, ça ne craint pas beaucoup !

Q : Willy, je suis content que vous puissiez aujourd'hui grimper les cols sans dopage, continuez longtemps avec votre autocar et votre belle famille. Merci de nous avoir reçu chez vous.
R : C'est moi qui vous remercie, ça m'a fait du bien de vider mon sac…

Rencontre avec Jean-Pierre de Mondenard

« *Le serment d'Hypocrate se transforme rapidement en serment d'hypocrite.* »

Quand on entre chez Jean-Pierre de Mondenard, dans son petit pavillon de Chennevières-sur-Marne, au sud-ouest de Paris, on entre dans ce qui pourrait être LA Grande Bibliothèque du dopage. Tout y est minutieusement répertorié. Les produits, les affaires, les dopés, les grands moments comme les plus petits. Le moindre petit sportif dopé, fut-il pris au Balouchistan, vous le trouverez. Trois étages, des millions, des milliards de feuilles, photos, diapositives, films, journaux, magazines, affiches, vidéo, CD, DVD, etc.

Tout ou presque tout ce qui a été imprimé sur le sujet se trouve là. Il ne manque que les flacons des athlètes dopés, peut-être par manque de place.

Une fois la visite terminée, Jean-Pierre de Mondenard me reçoit dans son bureau. À sa droite, un squelette humain, au-dessus de sa tête un énorme bocal qui renferme des milliers de pilules. Je vous le donne en mille. Ce sont toutes les pilules répertoriées qui peuvent servir de produits dopants ; en passant, elles ne sont pas encore toutes sur la liste des produits prohibés par l'Agence mondiale antidopage. Vous l'aurez compris : quand on parle de dopage, on parle du docteur Jean-Pierre de Mondenard.

Le spécialiste malgré lui du dopage a été médecin en chef du Tour de France. Il a démissionné de ses fonctions pour dénoncer l'hypocrisie qui régnait sur le plan du dopage. Auteur de

nombreux ouvrages de références, le Dr de Mondenard est une
sommité mondiale en matière de dopage. Entre deux rendez-vous
d'athlètes, car il est avant tout médecin du sport, il m'a raconté
son histoire et livré ses réflexions sur le dopage.

**Q: Vous êtes un personnage incontournable quand on parle de
dopage, mais comment êtes-vous arrivé là-dedans? Comment
vous êtes-vous intéressé à ce phénomène? Comment êtes-vous
tombé dans la marmite, en fait?**

R: J'ai fait mes études en médecine dans la région toulousaine, et
je ne pouvais plus faire de rugby, qui était mon sport de prédi-
lection, car il fallait partir loin de ses bases et donc ça me prenait
du temps. J'ai donc décidé de me mettre au vélo, parce que le
sport a toujours fait partie de mon équilibre. Et j'ai toujours fait
et je fais encore pas mal de vélo. J'ai rencontré des cyclistes sur la
route. Et, de fil en aiguille, je suis devenu médecin dans un club,
puis médecin dans la région. Et puis, à Paris, on voyait que j'étais
efficace, on m'a donc demandé de venir à l'INSEP, l'Institut
national des sports et de l'éducation physique. Je me suis retrouvé
médecin à l'Institut au début des années 1970, et le médecin qui
m'avait engagé était le Dr Dumas, ancien médecin-chef du Tour
de France. Il me fait donc venir à l'INSEP et là je pénètre directement dans le monde professionnel. D'abord, dans le monde du
haut niveau amateur. Le Tour de l'Avenir en 1972, puis le Tour de
France des amateurs, et ensuite l'année suivante j'étais dans le
Tour de France, dans les classiques, Paris-Roubaix, Bordeaux-
Paris et compagnie. J'étais devenu un nomade, un itinérant du
peloton. Voilà comment j'ai pénétré dans le monde du haut
niveau. Alors de l'extérieur, effectivement, par rapport à l'INSEP,
par rapport au cyclisme, moi, comme tous les gamins, on a tous
été admiratifs du Tour de France, et on a tous fait du vélo, on a
tous été excités. Donc de pénétrer dans ce milieu… Mais là, je me
rends très vite compte – je suis médecin – que contrairement à
l'image qui est véhiculée, le dopage est hyper répandu, et pas que
dans le milieu professionnel, dans le milieu amateur de haut
niveau aussi. Donc en entendant les discours du camp antidopage
et du camp du sport de haut niveau, je me suis dit: «C'est pas

possible que tu restes dans cette situation sans rien faire.» J'ai donc commencé à donner des conférences dans les clubs avec un conseiller technique régional, dans ma région de Toulouse et puis j'ai continué dans la région parisienne, bien sûr. Ensuite j'ai commencé à expliquer dans des articles et j'ai essayé de comprendre. D'ailleurs, un des premiers articles que j'avais écrits dans cette période résulte d'un constat. J'avais constaté qu'en trois ans, de 1974 à 1977, il y avait eu 17 morts par crises cardiaques parmi les cyclistes du peloton professionnel et amateur. J'ai trouvé cela complètement anormal dans la mesure où le cyclisme est un sport qui améliore les performances du cœur, et là c'était l'inverse. Il tuait plus rapidement que la norme. J'ai publié ça en 1978, «Oui le cyclisme tue», ou plutôt «Oui le dopage tue», c'était plutôt ça le titre. Ç'a été repris par *Paris-Match* sous le titre: «17 morts au Paris-Rouen», puis par *Le Matin*, par Jacques Marchand, journaliste du cyclisme qui travaillait à *L'Équipe* et qui ensuite est passé au *Matin*. Puis j'ai publié ça dans *Quotidien Médecin*, et dans différentes revues. Mais ce n'est resté que sous ma plume, ça n'a pas fait de vagues dans les instances officielles, les décideurs du sport.

Q: Vous avez immédiatement constaté qu'il y a une culture du dopage, que tout cela est organisé, institutionnalisé et même banalisé?
R: Institutionnalisé, oui, par certains côtés, mais surtout que effectivement tout le monde est d'accord pour le dopage. Quand j'étais dans le peloton des années 1970, tout le monde était d'accord. Je me souviens d'un ancien cycliste qui avait fait le Tour de France et qui avait porté le maillot jaune, et qui me disait: «Mais qu'est-ce que tu t'embêtes à faire ça, t'es sympa, on t'aime bien, et tu auras que des ennemis et tout le monde sera contre toi…» Donc, voilà on me mettait en garde de ne pas aller plus loin dans mes investigations et dans mes connaissances du milieu. Moi, en tant que médecin, c'était ok pour la prévention, le suivi médical, la traumatologie, la nutrition, etc. Et le dopage faisait partie de cet équilibre. Je ne voyais pas un médecin occulter le problème du dopage et s'occuper du reste. Donc, à partir du

moment où j'étais dans le milieu, moi je m'occupais de tout. Mais bon, je n'étais pas là non plus pour faire pisser les types aux arrivées. J'étais là parce que ma passion, le sport, le vélo et la médecine, que tout était réuni, mais je ne pouvais pas cacher le fait que le dopage était répandu et que tout le monde était d'accord. Tout le monde l'est probablement encore. Mais tout le monde était d'accord pour le dopage dans le milieu sportif, et notamment dans le milieu cycliste que je venais de pénétrer.

Q : Chacune de ces équipes avait son environnement médical, donc des gens qui ont fait le même serment que vous. Finalement, ce serment d'Hippocrate, ils l'ont peut-être oublié, occulté. Comment ça se passait ?

R : Il faut savoir que les médecins qui viennent dans les équipes, la plupart du temps, sont de jeunes médecins, plus disponibles que des gens installés. Et ils sont plus admiratifs du champion que médecins. Ils deviennent plus rapidement supporteurs que médecins. Donc en fait le serment d'Hippocrate se transforme rapidement en serment d'hypocrite. Et on est là plus pour aider à médicaliser la performance que pour soigner les éventuelles pathologies liées à la pratique du sport. Tant que le médecin soigne la performance, eh bien il est dans le dopage. Donc, de mettre des médecins dans les courses à étapes, c'est favoriser le dopage. Il faut laisser les médecins de la course soigner les gens qui se cassent quelque chose, soigner les problèmes et ne pas médicaliser la récupération. Si vous accélérez la récupération, vous dopez. Faut pas rêver, le corps a ses systèmes de récupération. Donc, s'il n'y a personne qui se dope, la fatigue jouera son rôle et départagera les capacités de chacun. Vous ne pourrez pas suivre pendant un quart d'heure, et puis si vous êtes vraiment trop faible, eh bien vous abandonnerez deux jours plus tard. Le meilleur sera toujours le meilleur. Il n'y aura pas trois jours de différence entre deux cyclistes à l'arrivée à Paris dans un Tour de France. Il y a cinq mille personnes qui sont capables de faire un Tour de France en trois semaines, mais pas à 41 km/h comme ça se fait aujourd'hui. Il y en a de nombreux qui pourront le faire à 35-37 km/h. Et le public n'y verra rien, que du feu, quand ils monteront sur le podium, à savoir s'ils ont fait du 30 à l'heure ou du 25. C'est la lutte des hommes qui est importante dans le sport. Le dopage engendre le dopage et la première cause, c'est la compétition. Tous les hommes veulent être meilleurs que l'autre, pour exister. Et pour exister dans une société d'aujourd'hui qui est médiatisée à outrance – on le voit avec toutes les téléréalités –, on doit passer à la télé, être connu, avoir son nom dans le journal et tout ça. Et effectivement, c'est la compétition entre les hommes. Et bien sûr, cela pousse au dopage. C'est le facteur numéro 1 du dopage. Le deuxième facteur, c'est le dopage lui-même et c'est ça qui est extraordinaire. S'il y en a un qui se dope, eh bien les autres sont obligés de faire pareil, parce que le dopage est efficace. Le postulat numéro 1, c'est que le dopage est efficace et, à partir du moment où il est efficace, s'il y en a un qui se dope, il est devant. Donc les autres qui ne veulent pas être derniers, parce que personne ne voit une justification valorisante dans le fait d'être derrière, eh bien ils feront la même chose. Donc le dopage impose le dopage et, corollaire dramatique, c'est que la lutte antidopage favorise tout cela parce qu'elle est incapable de contrôler le dopage.

Q: C'est un alibi quoi?
R: Exactement. Tout le monde s'appuie sur les résultats peu positifs, les statistiques qui sont faibles. Les meilleurs Agassi, Armstrong disent: «J'ai passé 18, 20 contrôles, 30 contrôles tous négatifs, donc je ne me dope pas.» Et la lutte antidopage dit: «Ils sont 1, 2, 3 % à être positifs, on contrôle le dopage.» Donc ils s'appuient sur des statistiques totalement bidons. S'appuyer sur les contrôles négatifs pour dire qu'on ne se dope pas, on peut avoir des doutes sur la sincérité du personnage, puisqu'il sait très bien qu'on passe à travers le contrôle comme on veut. Donc, il utilise un argument fallacieux pour apporter la preuve qu'ils se dope pas. D'un autre côté, et c'est là que c'est totalement drama-tique, c'est que le type qui vraiment ne se dope pas – et ils sont pas nombreux –, eh bien il n'a rien pour prouver qu'il ne se dope pas. Il est complètement coincé, parce que s'il parle, il est rejeté du peloton. On l'a vu avec Basson (Christophe Basson est un autre

cycliste qui a brisé la loi du silence. Il me confiait en entrevue, il y a quelques années, qu'on l'avait menacé dans le peloton, car il commençait à se plaindre du dopage autour de lui. Selon ses dires, Lance Armstrong qui était le grand patron du peloton n'a jamais rien fait pour le protéger, au contraire il aurait encouragé le lynchage collectif, obligeant Basson à se retirer du cyclisme) et on l'a vu avec d'autres. On pourrait modifier *Il faut sauver le soldat Ryan*, par *Il faut sauver le coursier propre et personne ne pense à lui*. On crédibilise les dopés. Regardez comme ça s'arrange quand Jacques Rogge (président du CIO), Juan Antonio Samaranch (ex-président du CIO) congratulent des vainqueurs sur le podium qui y sont arrivés par le dopage. Donc, les édiles du sport, ceux qui ont la Légion d'honneur, crédibilisent le dopage en permanence, parce que tout ça c'est un système. Ils crédibilisent le dopage à longueur d'année et les pauvres types qui ne veulent pas rentrer dans le système, eh bien, ou ils partent ou ils jouent les spectateurs à plusieurs minutes derrière.

Q: Docteur, je voudrais juste profiter de ce privilège que vous avez eu finalement d'être la petite souris dans le Tour de France pour vous demander – vous nous avez parlé de ces morts et des constatations dramatiques que vous en avez faites – qu'en est-il de l'organisation? Quand on pousse la porte d'une chambre d'hôtel d'une équipe, ou quand on pousse la porte d'un motorisé où se réunit l'équipe, qu'est-ce qu'on y voit encore? Qu'est-ce que vous avez vu, constaté, vous qui avez vu ça de l'intérieur pendant des années avant de dire: «C'est assez je passe à autre chose»?

R: Je n'ai pas mis longtemps à dénoncer ce que je constatais, mais pas en citant qui que ce soit. Je me souviens d'un Tour de France dans les années 1970, d'un coureur que je connaissais bien d'ailleurs. Ça m'arrivait de le ramener chez lui après les courses. Il y en a même que j'ai hébergé chez moi; j'étais très pote avec eux pendant les quelques années que j'ai passées là. Donc, ce coureur ouvre sa valise à 18 h pour se faire sa piqûre ou une de ses piqûres, parce qu'ils s'en font plusieurs et, moi, je jette un coup d'œil. Il savait très bien que j'étais contre, mais il savait très bien aussi que je n'allais pas dénoncer qui que ce soit. Ce n'était pas mon boulot de dénoncer le système, même pas de dénoncer l'individu. Et je lui dis : «Attends, t'es marteau de prendre ces différents produits», alors il m'a sorti deux renseignements : d'une part qu'il avait déjà fait ses enfants – ils savent très bien qu'il y a des effets tératogènes, et ça on en parle jamais. Vous savez dans le monde hippique, dans les règles antidopage de 1900, on mentionnait les effets tératogènes sur les saillies. Et comme elles sont payées très chères ces saillies, avec les étalons dopés qui rentrent pour des courses, eh bien la lutte antidopage a démarré sur un de ces trois postulats. Ces trois éléments étaient contraire à l'éthique. C'était dangereux pour le cheval lui-même et c'était délétère pour la descendance. Parce que la descendance avait un rôle financier énorme, puisqu'on achetait des saillies à prix fort, et donc ça faisait partie de la règle.

Q: Une parenthèse, si vous le voulez bien, sur la descendance puisque vous en parlez. Déjà dans la tête de l'athlète concernant sa descendance, il pense en amont, donc de façon préméditée, en se disant avant de prendre ces choses-là : je fais mes enfants avant parce que après je ne serais «plus capable». C'est donc prémédité, c'est à peu près ça de manière schématique, non ?
R : Oui. Mais pour revenir à ce cycliste, je pense qu'il avait déjà pris des produits dopants alors qu'il n'avait même pas encore ses enfants. Donc c'était un peu *a posteriori* qu'il me sortait cet argument, pour se dédouaner un peu. Et puis deuxièmement, il m'a dit : «Si je n'ai pas ma piqûre quotidienne…» Il ne faut pas le prendre dans le sens de drogué, je ne dis pas qu'il a besoin de sa piqûre pour voir la vie en rose ou autre. C'est que s'il ne prend pas sa piqûre, il a l'impression d'être nu sur son vélo. D'ailleurs, il a une expression tout à fait éclairante c'est qu'«il est armé» quand il est piqué, puisque la piqûre a effectivement plus de pouvoir que la pilule, le comprimé, la gélule. Et donc il est «armé». Parce que sur un vélo, c'est pas comme sur un terrain de foot où vous passez le ballon au copain ; dans le cyclisme, vous pouvez passer la roue peut-être, mais il faut pédaler. Personne ne pédale pour vous. Ça c'est aussi un facteur important de la diffusion du dopage, c'est

que dans la nature humaine, les gens croient tous que l'autre, il n'est pas plus fort qu'eux par des qualités particulières, mais parce qu'il a un truc. Et donc, on cherche le truc. Et des exemples de cherche-truc, il y en a. Prenons l'exemple extraordinaire de Bartali qui faisait les poubelles de Coppi. Gino Bartali, la star des années 1940 dans le vélo. Il a gagné le Tour de France de 1938 et de 1948, à 10 ans d'écart. Et puis, il voit déboucher le jeune Coppi qui lui souffle la vedette dès le début des années 1940 et qui remporte le Giro. Donc, il passera son temps à vérifier, à chercher ce que prend Coppi, parce que l'autre le bat bien sûr, de temps en temps, et même souvent. Donc, au Tour d'Italie notamment, un tour, ça dure plusieurs semaines et dans l'imagerie d'une course à étapes, il y a le contrôle de la signature. C'est-à-dire que les cyclistes viennent au départ de la course. Il y a une estrade et ils signent. En même temps ça permet de les présenter, et dans les tours anciens ça permettait de contrôler les passages. Aujourd'hui, ça n'a plus beaucoup de raisons d'être, mais peu importe, ça fait partie de l'imagerie… Eh bien, Bartali arrivait toujours très loin après les délais. On n'attendait que lui pour démarrer. Coppi arrivait toujours le dernier. Et Bartali pour pouvoir fouiller ses valises devait arriver encore plus loin derrière, donc il arrivait en retard. Et il payait une amende régulièrement pour faire les poubelles de Coppi. Même une fois dans un Tour d'Italie, encore plus extraordinaire! Il voit Coppi qui s'envoie un flacon dans la bouche et qui jette le flacon dans le fossé. Le groupe est en train de monter un col, donc pas question de s'arrêter. Bartali photographie des yeux le fossé avec le poteau télégraphique à côté, etc. Le soir, dans sa chambre, il note ça vite fait. Trois semaines plus tard, il revient. Le Tour d'Italie était au mois de juin et les herbes avaient poussé de trois mètres. C'est Bartali lui-même qui a raconté l'histoire. Et le voilà en train de fouiller dans le fossé à écarter les herbes. Il y a des pique-niqueurs à côté, ils reconnaissent Bartali, viennent l'aider. Donc, il retrouve le flacon et l'apporte à Florence, chez un toxicologue, un pharmacologue de sa connaissance qui le fait analyser et qui lui sort une phrase extraordinaire: «Y a pas de produits différents de ceux que prennent les cyclistes, et en France même c'est en vente libre.»

Alors les journalistes français, et c'est là où les journalistes sont les complices du mythe et racontent des histoires pieuses, ils diront : « Oui, c'était du bicarbonate de soude, un truc totalement banal pour les aigreurs d'estomac ! » alors qu'à aucun moment Bartali dans son document, dans son interview, dans le texte de ce journaliste italien qui raconte l'histoire, n'a parlé de bicarbonate de soude. À aucun moment. Et les Français vous parlent de bicarbonate de soude. En réalité, si l'on interprète bien les choses, c'est que c'était des amphétamines. Le pharmacologue lui dit : « Un produit que tout le monde prend, ok, et c'est en vente libre en France. » Et effectivement, les amphétamines dans les années 1940-1950 en France étaient en vente libre. Mais moi, l'histoire de Bartali, je l'ai vécue personnellement. Pas avec Bartali, parce que je n'étais pas à cette époque-là dans le cyclisme. Je l'ai vécu dans les années Merckx. C'est ma génération, Merckx, Zootemelk, Hinault, tout ça c'est de ma génération. Eh bien, je me souviens d'un cycliste français de haut niveau, qui était très féru de dopage, et qui se dopait lui-même bien sûr, et qui disait tout le temps : « Je suis sur le point de trouver ce que prend Merckx. » Je lui disais : « Mais attends, pendant que tu cherches dans ses poubelles, lui il s'entraîne, donc tu seras toujours marron ! »

Q : Je voulais que l'on ouvre une parenthèse tout à l'heure, parce que je voulais que vous parliez d'un phénomène trop peu connu, ou en tout cas dont on parle très peu, celui de la descendance de ces athlètes de haut niveau, et de quelques-uns que vous avez suivis. Vous vous êtes penché sur ce problème qui sera crucial dans les prochaines années. On commencera à voir, peut-être est-ce déjà commencé, des enfants qui naissent avec des malformations, des choses comme ça. Est-ce que c'est de ça que vous voulez parler quand vous discutez de la descendance et de la problématique de l'athlète de haut niveau qui se questionnera peut-être en amont ou quand il sera trop tard ?
R : Il n'y a pas beaucoup de spécialistes du dopage, en France et dans le monde. Ils sont tous là pour d'autres raisons que la lutte antidopage, et ne peuvent pas avoir la recherche et la réflexion sur la réalité du dopage. Et c'est ce qui est étonnant ! Eh bien, la

descendance effectivement n'est pas à l'ordre du jour dans toutes ces discussions. Alors que dans la réalité, elle l'est. On l'a vu avec l'Allemagne de l'Est, avec les sportifs qui ont attaqué les fédérations en justice pour des effets secondaires indésirables, et même certains enfants ont été touchés. Par exemple, la sportive Christine Knabe, une nageuse d'Allemagne de l'Est qui est sortie de la RDA quelque temps avant la chute du mur, a dévoilé son parcours. Elle a été la première femme, si on peut parler de femme puisqu'elle n'avait que 15 ans, à descendre sous la minute aux 100 m papillon en 59 s 68. C'était en 1977. En 1980, elle finit troisième aux 100 m papillon à Moscou, et il y a là tous les pays de l'Est, donc c'est une performance. Cette femme raconte qu'à la naissance de sa petite fille, celle-ci restera 18 mois à l'hôpital, victime d'hyperthermie, ça veut dire une température excessive. Les médecins lui confirmeront que sa fille a eu ces problèmes-là en raison des produits dopants qu'elle a pris pendant sa carrière. Elle-même raconte que deux autres athlètes de son environne- ment et qui ont été championnes olympiques, ont eu des enfants malformés, notamment un enfant qui avait un pied bot et l'autre était phocomèle, c'est-à-dire qu'elle avait la main fixée à l'épaule et sans bras. Donc, ces éléments montrent bien qu'il y a des effets tératogènes. D'ailleurs, les effets tératogènes constituent les effets des médicaments sur le fœtus qui est malformé. Et l'on sait parfaitement que l'alcool entraîne des effets tératogènes, tout comme la nicotine, le tabac, les anabolisants et les amphétamines. Donc, tout ça montre bien que la descendance sera gravement touchée. Et personne ne s'intéresse à la descendance dans le monde du sport. Le contrôle antidopage est fait pour ça pourtant. Mais de toute façon, tout est plus performant dans le monde du cheval que dans le monde humain.

Q : On parle beaucoup de la lutte antidopage. Êtes-vous de l'avis du docteur Voïd qui dit : « Confier le contrôle de la lutte antidopage au monde du sport, c'est confier le poulailler à un renard » ?
R : Bien sûr ! Ça fait très longtemps que je le dis ! Mais de toute façon, tous ceux qui réfléchissent vraiment aux contrôles

antidopage ont vraiment une approche cohérente des choses et c'est le seul milieu où la famille juge l'enfant. Est-ce que vous connaissez dans la justice un tribunal d'assises où les jurés sont la famille, les propres parents du prévenu? Non. Est-ce que vous connaissez un système où les gendarmes et les voleurs sont dans le même camp? Bon, il arrive que des gendarmes passent dans le mauvais camp, et des voleurs aussi, mais habituellement on ne conçoit pas les gendarmes et les voleurs du même côté C'est comme un patron d'entreprise, c'est rare de voir un patron d'entreprise qui est aussi délégué syndical. Eh bien, on est dans ce système-là dans le monde du sport depuis 40 ans. Et personne ne dit: «Halte là!» Pourquoi? Parce qu'on n'est pas dans un système libéral, on n'est pas dans un système privé, et les gens nommés, ils sont là à vie. Ils n'ont pas d'obligation de résultats. Ils peuvent être les plus nuls de la terre, ils sont toujours là. C'est Magouille et compagnie. On a parlé de lutte indépendante, et on voit le CIO à la tête de l'AMA… (Agence mondiale antidopage), attendez, c'est pas sérieux! C'est de la rigolade. La meilleure: le patron de l'AMA, en plus c'est un de vos compatriotes, Dick Pound, n'est pas crédible. C'est lui qui défendait Ben Johnson en 1988 à Séoul et qui disait: «Son corps est dopé mais sa tête ne l'est pas!» Comme s'il avait été dopé à son insu. Il se fiche du monde. Et Ljungqist, le Suédois, médecin… Ljungqist a été sauteur en hauteur, donc il passait bien les obstacles. Et ce médecin est le patron de la Commission médicale de l'AMA. En tout cas, c'est lui qui a mis en place les listes actuelles de produits interdits. Ce Ljungqist était le dopeur des années 1970 de l'athlétisme suédois et de Ricky Bruch le lanceur de disque, notamment, qui a battu le record du monde, et qui était un fou furieux des pastilles pour améliorer ses performances. Bruch raconte dans un débat que c'est Ljungqist qui l'a dopé, et l'autre pour se défendre pleurnichera en disant que Bruch aussi pleurnichait pour avoir des anabolisants, et qu'il n'a pas pu résister à les lui donner. Mais attendez… Et c'est ces gens-là qui luttent contre le dopage. Mais c'est de la mascarade! C'est une bande dessinée, ce n'est pas autre chose. Il n'y a pas d'espoir que toute cette marmaille soit efficace dans la lutte antidopage.

Q: Et les laboratoires. Parlez-moi des laboratoires accrédités par le Comité olympique, qui normalement sont un peu les garde-fous dans le monde du sport. Enfin qui devraient l'être. Certains laboratoires en décrivent d'autres dans le sens de « Comment se fait-il… » Je pense au laboratoire de Montréal qui dit : « Comment se fait-il que dans le laboratoire russe ou coréen, on ne trouve jamais de positifs ? » Qu'est-ce que vous pensez de tous ces laboratoires qui ont été mis en place comme des garants, quelque part ?

R : Oui c'est vrai. De toute façon, rien n'est indépendant, donc ça ne peut pas marcher. On l'a vu en France avec le sang contaminé. On l'a vu avec la Commission indépendante sur l'hormone de croissance sur les enfants. Ils ont envoyé une centaine d'enfants au cimetière, et sous la responsabilité de médecins qui préféraient leur vie personnelle, plutôt que de bien vérifier que ce qu'ils envoyaient dans le corps des enfants était sans danger. Et puis, y a eu une Commission indépendante sur l'amiante. C'est toujours *a posteriori*, c'est jamais anticipé. L'art de gouverner, c'est d'anticiper, c'est pas de dire « on fera une commission, on enquêtera ». On entend tout le temps cette phrase avec Verbruggen, avec Leblanc pour parler du cyclisme, avec le football, avec tout le monde. On est dans des systèmes où c'est impossible que ça marche, puisque ce sont ceux qui sont critiqués qui doivent gérer l'histoire. Ils ne vont donc pas la gérer dans le sens où leurs incapacités seront mises à l'avant. Il n'y a pas d'espoir tant que l'on est dans un système comme ça. Ça ne peut pas marcher. Moi, il y a très longtemps que j'ai abandonné l'espoir – je veux dire dans l'état actuel – de voir les choses changer. Rien ne change. Il n'y a que les hommes qui changent, et en plus pas beaucoup. Le ministre change, mais si par exemple on prend tel ou tel sport, les dirigeants sont les mêmes, les entraîneurs sont les mêmes, les sportifs sont les mêmes. Et on nous dit qu'il y a un renouveau. Mais d'où il peut sortir le renouveau ? Einstein avait déjà signalé que ce n'était pas possible que les gens qui participent au problème puissent résoudre le problème. Ce n'est pas possible !

Q : Parlez-moi des athlètes. Tout à l'heure, vous avez dit un certain nombre de choses sur Ben Johnson notamment, mais les athlètes que vous avez côtoyés dans le Tour de France et qui viennent vous voir, quelle part de responsabilité ont-ils ? Est-ce que pour vous ce sont des acteurs ou des victimes du dopage ? Comment vous les voyez ?

R : Ceux qui viennent me voir ne viennent pas pour avoir des produits. Les athlètes de haut niveau – ceux que j'ai et j'en ai pas beaucoup justement pour cette raison – savent très bien que ce n'est pas avec moi qu'ils auront des produits facilitant la performance. Ce sont ceux ayant vraiment une éthique solidement accrochée, chevillée au corps qui viennent me voir. Donc, les conversations ne roulent pas sur le dopage, sauf pour dire qu'ils sont toujours dans une situation peu confortable, dans la mesure où rien n'est fait pour eux. Ce sont eux les victimes, les non-dopés. Et ils sont les victimes pour deux raisons : l'accès aux performances leur est pratiquement interdit, et s'ils veulent suivre les dopés, ils sont obligés de se faire vraiment mal, donc c'est leur santé qui est en jeu. Et effectivement, au bout d'un certain temps, ils seront éjectés et à ce moment-là ça sera un moindre mal. Pour les autres, en se dopant, c'est l'aspect chronique du danger qui leur tombera dessus, mais dans un temps décalé, plusieurs années plus tard, mais avant tout le monde dans le temps. Oui, les sportifs propres sont vraiment les victimes. C'est pour cela que j'ai écrit un article pour *Sport et Vie*, que j'ai titré : « Il faut sauver le coursier propre », (comme le soldat Ryan). Effectivement, le cycliste propre est en danger, puisque personne ne vient à son secours. En revanche, les autres sont aussi victimes. On est tous coupable bien sûr mais, eux sont victimes dans la mesure où, à partir du moment où le dopage est efficace, à partir du moment où il y en a de dopé, les autres sont obligés de faire pareil. Sinon, c'est pas valorisant d'être toujours le dernier, d'être à la traîne, de ne pas pouvoir suivre alors que vous vous entraînez, que vous faites tout ce qu'il faut. « L'hygiène de vie », comme disait Gimini, ancien coureur cycliste et directeur sportif. Il disait : « S'il suffisait de l'hygiène de vie pour être champion dans le sport d'aujourd'hui, eh bien il y aurait beaucoup de curés en tête du Tour de France ! »

Q : Qui est responsable, selon vous, docteur ? Avez-vous vraiment pointé du doigt les responsables ? Vous en avez côtoyé des gens qui flirtaient avec l'hypocrisie. Vous avez côtoyé toutes sortes de monde. Mais selon vous, qui est véritablement le responsable, le chef d'orchestre finalement de ce dopage quasi étatisé dans un certain nombre de sports ?

R : Je ne suis pas sûr que la responsabilité soit directe, c'est-à-dire qu'il n'y a pas des gens qui dirigent le sport mondial de manière à ce que tout le monde se dope. Non. C'est simplement la quête de l'homme d'aller sur le podium. D'ailleurs, de Coubertin avec son *citius, altius, fortius,* a effectivement dit d'essayer de se dépasser. Malheureusement ou heureusement, le sport est la seule activité qui ne peut exister que par des règles. S'il n'y a pas de règles, il n'y a plus de sport. C'est du cirque, c'est tout ce qu'on veut, c'est des gladiateurs ! Personnellement, le sport ne m'intéresse que s'il y a des règles, puisque c'est optimiser ses aptitudes, c'est aller aux frontières de la connaissance de son corps pour le rendre au maximum de sa performance et confronter cette optimisation, cette performance avec celles des autres. C'est ça qui est jouissif dans l'activité physique intense et compétitive, d'aller à ses frontières. De grimper un col en tête c'est extraordinaire pour un coureur, d'être applaudi et tout ça, c'est effectivement très valorisant. Mais on est toujours poussé à cette extrémité et, à partir du moment où il y en a qui prennent des trucs pour aller plus vite que l'autre, eh bien les autres sont obligés de faire pareil et donc ils sont coincés. Tout le monde se retrouve coincé. Les responsables, ils le deviennent parce que les contrôles sont inefficaces. Donc, on peut se doper. On peut résumer facilement. Il y en a 5 % – et je suis généreux – qui croient en Dieu (c'est une expression !) et qui ne se doperont pas. C'est comme ça, c'est dans leur nature, dans leurs fibres, voilà. Il y en a 5 %, même s'il y a des contrôles hyper performants qui tricheront quand même, soit avec des flacons, des machins. Ils essayeront toujours de tricher. Et puis, il y en a 90 %, puisque si c'est facile de passer à travers le contrôle, ils le feront. Voilà le système actuel ! Comme le contrôle est inopérant pour épingler les tricheurs et bien il y en a 90 % au minimum qui trichent. La meilleure preuve que le contrôle est inefficace, c'est le Tour d'Italie 2001. Il y en a eu deux pris à l'EPO. Les policiers sont intervenus dans une rafle début juin, je crois que c'était le 5 juin 2001. Ils ont trouvé dans 52 valises des substances, dont 30 de caféine. Et il n'y a jamais eu de contrôle positif à la caféine. Ils ont trouvé 15 fois de l'insuline, jamais eu de contrôle positif à l'insuline. Donc, de deux choses l'une. Ou bien ils ne recherchent pas les substances ou ils ne les trouvent pas. Et donc, les contrôles sont inopérants. *A posteriori*, de faire un contrôle comme celui de l'Italie… ça ne sert à rien. Les types sont des pros et pas seulement des pros de l'alimentation, de l'entraînement, ce sont aussi des pros de la dope. Donc quand ils viennent dans une course, ils savent qu'ils seront contrôlés, même si on nous parle de contrôles inopinés dans un Tour d'Italie. C'est impossible qu'il y ait un contrôle inopiné, puisqu'ils savent qu'ils seront contrôlés, même si c'est aléatoire, c'est un contrôle qu'ils ont prévu. Donc, ils arriveront au Tour d'Italie, soit vierges de substances que l'on peut détecter dans les urines, soit ils s'arrangent pour en prendre de manière à ne pas dépasser les seuils en vigueur. Il y a différentes techniques et manœuvres qui sont connues de tous les cyclistes de France et de Navarre et du monde entier. Donc, tant que la lutte antidopage n'est pas indépendante, tant qu'elle ne sera pas indépendante, ça ne marchera pas. Mais même l'arbitrage tant qu'ils ne sera pas indépendant, ça ne marchera pas, et c'est la FIFA (Fédération internationale de football association) qui nomme les arbitres. Attendez, comment ça peut marcher ça, c'est pas possible! Tant que l'arbitrage fera partie d'une fédération, il n'y a pas d'espoir. Ce qui est rassurant, rassurant est peut-être un mot un peu optimiste, mais ce qui est rassurant, c'est ce qu'on a vu avec l'affaire Chouki. Le président de la Fédération d'athlétisme a dit: «Pour s'occuper des sanctions, il y a maintenant des avocats, etc. Tout un ensemble de gens qui gravitent dans ce système-là, parce que ça rapporte. Donc on n'est pas armé. Et de toute façon, ce n'est pas notre rôle». Il a raison. C'est d'ailleurs ce que je dis depuis longtemps. On est pas là pour sanctionner, ça c'est le rôle d'un organisme indépendant. Le rôle de faire des contrôles, c'est pas le rôle d'une fédération, c'est celui d'un organisme indépendant. Les fédérations ne doivent faire que de la prévention, que de l'éducation, mais elles le font pas. C'est ça qu'elles doivent faire et c'est pas d'aller contrôler. Comment voulez-vous qu'un président de fédération s'acharne sur un sportif, alors que c'est ce sportif qui le fait vivre? Ils vont pas passer la saison à se regarder de travers, l'œil noir, à se traiter de tous les noms. Donc voilà, ce n'est pas possible.

Q: Mais docteur, n'est-ce pas finalement un problème de définition? Peut-on encore garder aujourd'hui ces vertus et ces morales d'antan autour du sport et de ces valeurs, alors que de l'autre côté on trouve le sport avec ces fantastiques entreprises multinationales? Les choses ne sont-elles pas incompatibles? La prise de produits dopants serait peut-être plus compatible avec cet esprit de concurrence économique qu'avec les valeurs d'autrefois. Le sport c'était la santé, c'était noble, c'était le serment de l'athlète, etc. Pensez-vous qu'aujourd'hui, au XXIe siècle, avec ce qu'est devenu le sport de haut niveau, il est pas trop tard? Ou alors, il faudrait carrément évacuer les valeurs d'antan et se dire: «Eh bien adaptons-nous aux réalités d'aujourd'hui!» Comment voyez-vous les choses, cette philosophie du sport de demain?

R: Il faut déjà dire en préambule que le sport de compétition n'a jamais été bon pour la santé. Ça c'est exclu, parce qu'on est toujours dans le plus. S'entraîner plus. Prenez les charges d'entraînement d'un marathonien. Lors des premiers marathons les Dorando Pietri, Eyes et Spiridon Louis ne s'entraînaient pratiquement pas. Dans mes archives, j'ai toutes ces compétitions dans le temps. Par exemple, une compétition de natation en 1908. Ils font leur compétition ce jour-là et se disent à la semaine prochaine, et ils ne vont plus dans un bassin de la semaine. D'accord? Ils font la compétition le jour dit et huit jours après ils se retrouvent pour une autre. Ils ne s'entraînent pratiquement pas. Aujourd'hui, la charge d'entraînement a augmenté de façon considérable. Maintenant, des marathoniens qui courent 40 kilomètres par jour c'est hyper courant, et donc ils cassent et prennent des drogues. Et ils cassent encore plus vite, vous comprenez. Dans le foot américain, l'espérance de vie d'un foot-

balleur américain est de 55 ans. C'est la profession dont la longévité est la plus basse aux États-Unis. C'est pas possible ça! Et
personne ne se révolte! Il y a des milliards de gens qui regardent
ça, alors que ça tue! Un footballeur américain sur deux meurt à
47 ans et qui s'en offusque? Personne. Il faut rappeler que le
football américain en 1905 a fait 18 morts dans la saison et
150 blessés graves. Theodore Roosevelt a donc appelé les responsables de la ligue professionnelle et leur a dit: «On ne peut pas
continuer comme ça. Ou on arrête ou on trouve un système pour
arranger ça.» Alors ils ont trouvé comme système de mettre un
casque, un protège-nez même. Si on regarde les photos de 1905,
on voit une espèce de truc futuriste sur le nez. Ils avaient des
épaulières et plein de trucs. Et c'est exactement ce qu'il ne faut pas
faire. C'est comme si un fou se tape avec un marteau sur la
tronche ou sur la tête. Qu'est-ce qui est le plus efficace: de lui
mettre du mercurochrome là où il se tape ou de lui enlever le
marteau? On a mis du mercurochrome et ça n'a rien changé, le
nombre de morts n'a fait que croître. Et personne ne se révolte!
Le rugby européen d'aujourd'hui, c'est pareil. Les joueurs sont
devenus plus puissants. Les produits rajoutés ont joué leur rôle.
Les athlètes s'entraînent deux ou trois fois par jour, donc ils
courent beaucoup plus vite, ils sont plus massifs et se débrouillent
mieux.

On a fêté dans une émission, il n'y a pas très longtemps, un
joueur très médiatisé de l'équipe de France. Il racontait qu'il est
déjà passé six fois sur la table d'opération. Maintenant, il a arrêté
sa carrière. Il me disait: «Les gens, les agriculteurs, ils ont mal au
dos…» Je lui ai répondu: «Mais ça n'a rien à voir. Si déjà on leur
apprenait à travailler dans leur ferme, ils auraient peut-être moins
mal au dos.» C'est une chose que l'on occulte aux enfants. C'est
fou! Il faut leur dire ce qui se passera…

Q: Le sportif de haut niveau est un homme malade, c'est ça?
R: En tout cas, c'est un homme blessé. Il peut être un homme
malade par les drogues qu'il prend. Ça aussi, ça entraîne des
conséquences à long terme. Vous devenez dépendant de vos produits. Vous vous habituez pendant des années à prendre des

drogues pour être bien, et quand vous arrêtez votre carrière, là vous êtes mal. Alors vous replongez dans les drogues. Parmi les stars du sport qui ont continué à se droguer, on trouve des champions du Tour de France qui avaient gagné et qui me demandaient des prescriptions d'amphétamines plusieurs années après leur fin de carrière. Bien sûr, je ne leur en ai pas donné. Mais ils me les demandaient quand même en me disant: «C'est pour ma femme.»

Q: C'est une réflexion qui est reprise par d'autres: «On ne leur dit pas, on ne leur dit pas que c'est ça qui les attend…»
R: Si, on leur dit. Mais l'homme enfouit tout ce qui le dérange. Donc il ne veut pas entendre ce message. Il ne peut pas l'entendre pour la simple raison qu'il a 20-25 ans et qu'à cet âge-là le mot santé est le plus creux du dictionnaire. Ils ne savent même pas ce que ça veut dire, pour la simple raison qu'ils n'ont pas l'acuité de la vie. Ils ne voient pas qu'il y a un départ et une arrivée et qu'on est dans une course. Ils ne réfléchissent pas une seconde sur le fait que la vie a un terme. Jamais. Ce n'est pas une notion qui est palpable, qui est intégrée dans les neurones et donc, quand on leur mentionne les dangers, ils se demandent de quoi on leur parle. Et déjà, ils ont plein de réponses à vous opposer. Elles ne sont pas très percutantes, mais eux les voient percutantes. Ils nous disent: «Vous dites que l'hormone de croissance est dangereuse pour la santé, mais on la donne à des enfants, on la leur donne pour qu'ils soient mieux. Moi qui ai 25 ans et qui suis super fort et qui gagne tout ce qu'on veut, ça me ferait du mal? Vous me racontez des histoires!» «L'EPO, on la donne à des insuffisants rénaux, ils sont à moitié couchés, en tout cas pour certains, eux ça leur fait du bien et moi, ça va m'abîmer? Non ce n'est pas vrai.» «Les anabolisants, on les donne à des convalescents pour les retaper, moi, je suis en pleine forme, donc je vais en prendre et ça sera sans effet secondaire sur moi.» Voilà, ils ont des arguments. On peut leur rétorquer, mais là c'est le coup de massue et ils ont du mal à prendre ce coup-là: «Le tabac tue, tout le monde le sait, eh bien 35 % des médecins fument.» Ce n'est pas la prévention à 20 ans, l'éducation à 20 ans qui peut faire quelque chose. Tous les

psychologues du comportement vous le diront. Ce n'est pas la connaissance du risque qui modifie le comportement des gens. D'accord? Ils n'ont pas encore eu de morts dans leur famille au départ, alors tout cela s'ajoute au fait qu'ils se croient immortels. Ils ont 25 ans, et s'ils parlent à quelqu'un de 45 ans, ils croient que ce type est né à 45 ans. L'intervalle est totalement occulté. Ils ne sont pas cette personne et ils ne seront jamais cette personne. Ils sont dans un monde de 25 ans, pas de 45 ans, ni même dans le futur. Le futur du dopage, ça ils l'induisent; le futur de leur vie, ils l'induisent pas. Pas à cet âge-là. Tout ça fait en sorte que les mises en garde, les dangers et les machins… J'ai beaucoup écrit sur ces aspects délétères, d'ailleurs j'ai un titre de livre sur les effets pénalisants du dopage, c'est *Dopage, la mort en fraude*. Et, effectivement, ils meurent parce qu'ils trichent. Ils trichent avec la compétition, avec leur santé, avec leur corps; ils trichent avec tout le monde. Donc le dopage c'est sûr, ça tue. Mais ça, ils n'en n'ont pas la perception à cet âge-là. La seule façon de changer le cours du jeu, c'est d'éduquer les gens dès l'enfance, pas à 20-25 ans. C'est pas à cet âge qu'il faut que ça se fasse. Il est trop tard!

Q: Où s'en va-t-on, docteur de Mondenard? Vers une épidémie, plus de morts, un peu comme pour le sida, alors que la prise de conscience s'est faite longtemps après l'apparition du premier cas? Va-t-on assister dans l'avenir à plus de morts? Est-ce que ce sera suffisant pour qu'il y ait une prise de conscience?
R: Je ne suis pas sûr qu'il y ait plus de morts aujourd'hui qu'il y a 30 ans, parce que le dopage était déjà répandu il y a 30 ans. J'ai moins de recul sur le dopage d'il y a 30 ans, si ce n'est les chiffres que j'ai cités tout à l'heure: 17 morts par crise cardiaque en moins de trois ans. Toutefois, on n'a pas eu 17 morts durant les trois dernières années qui viennent de s'écouler, et ce, chez les cyclistes uniquement. Même pour le football, où l'on a médiatisé des morts en pleine action. Eh bien dans les années 1980, il y en a eu six du même type. Donc je pense que les produits qui étaient utilisés dans les années 1970 étaient plus dangereux que les produits d'aujourd'hui. En tout cas, ils avaient plus d'incidences sur le cœur et notamment les amphétamines qui entraînent des

fibroses artérielles, la cocaïne et les anabolisants qui entraînent des problèmes cardiovasculaires. Toutes les drogues qui étaient utilisées et qui le sont toujours – moins quand on parle des amphétamines – dans les dernières compétitions ont eu des tropismes néfastes sur l'appareil cardiovasculaire. C'est probablement ce qui explique cette série de morts durant ces périodes-là. Aujourd'hui on meurt moins, même s'il y a eu Pantani, même s'il y a eu Marc Vivian Foé. Toutefois, ces cas sont plus médiatisés depuis l'affaire Festina. Cela fait la une des journaux, ce qui ne se produisait pas avant, à part la mort de Simpson ou lors de l'affaire Pollentier. Mais là, pratiquement toutes les semaines, le sport fait la une, pas pour les performances mais pour les histoires de dopes, de triches et de combines. Mon analyse complète de ce phénomène de dopage et des vertus du sport me fait dire que le sport de compétition n'a pas de vertus. Du moins pas celles qu'on lui prête. Les seules vertus qu'a le sport de compétition c'est celles de la triche. Tous les jours, on fabrique un peu plus de tricheurs. On apprend à tricher en permanence. À la télé que voit-on? Un Français, lors de la Coupe du monde de 1998, qui essuie sa chaussure sur un autre joueur. Il prend peut-être un carton rouge, mais à l'arrivée, il est champion du monde et il reçoit la Légion d'honneur! Donc les enfants qui regardent, comment interprètent-ils ce genre de comportement? Ils se tirent le maillot, ils se font des croche-pieds, ils se tapent et se crachent dessus... Il faudrait mettre des micros sur les terrains, car vous ne pouvez pas savoir de quoi les types se traitent. Vous, vous les voyez passer comme ça l'un à côté de l'autre, mais ils se traitent «d'enculé, de pédé... j'ai baisé ta femme, etc.» C'est le langage qu'ils ont et au plus haut niveau. Et surtout dans les histoires raciales, là ça y va copieusement, avec les «sale Arabe». Vous voyez? Toujours dans le but de déstabiliser l'autre, jusqu'à ce qu'il vous lance un pain (coup de poing). À ce moment-là, l'arbitre le verra et c'est lui qui sera sanctionné, alors que ce n'est pas lui qui a commencé. Et évidemment, l'autre pendant des minutes et des minutes il gueule. Parce qu'il y a tellement d'enjeux que même les entraîneurs, même le meilleur dit «Ouais, faut le descendre!», et ça dès les petits clubs. Aujourd'hui, le sport de haut niveau ne va pas vers un monde meilleur. On va vers un monde de tricheurs. Un monde de tricheurs de tous les côtés. La triche sera généralisée. Les athlètes sont éduqués à tricher. Armstrong dans son dernier livre *Chaque seconde compte*, sort de façon banale : « Oui j'ai des équipiers qui sont là pour gêner les autres. » Mais attendez… Où elles sont les vertus là-dedans ?

Q : On s'en va vers un monde, sans trop faire de science-fiction, où l'on commence à voir des souris à qui on augmente la masse musculaire de 30 %. Déjà, des chercheurs qui travaillent en thérapie génique reçoivent des coups de téléphone de gens du milieu du sport qui leur demandent quand ils publieront leurs travaux pour voir différents protocoles. Voyez-vous l'homme bionique arriver dans quelques années ? Voyez-vous le sport comme un retour aux jeux du cirque ?

R : Mais c'est évident ! Compte tenu que rien n'a changé depuis le début de la lutte antidopage, qui était faite justement pour rendre les compétitions plus honnêtes. Combien de choses ont été faites de façon efficace ? Il faut faire de la lutte antidopage, montrer que l'on fait des choses, mais surtout il ne faut épingler personne, parce que ça mettrait tout le système en l'air. Il n'y a pas d'obstacles majeurs pour faire en sorte que l'homme ne soit pas attiré par des paradis artificiels ou des fabrications spécifiques de capacités, de qualités qui permettent d'être meilleur. De toute façon, c'est dans la nature humaine. J'en reviens toujours à la même histoire. Il faut un système d'arbitrage, de contrôle. Sans contrôle, sans arbitrage, il n'y a pas de sport. Le sport ne peut exister sans ces éléments-là. Si l'on veut que le contrôle antidopage soit performant, il faut le virer de tous les laboratoires qui font les contrôles aujourd'hui. Il faut faire un laboratoire indépendant avec les meilleurs chercheurs de la planète et payés au même niveau que les stars du sport. Et à ce moment-là, vous allez voir si les sportifs sont en avance. Ils ne les auront plus leurs longueurs d'avance, parce qu'on y mettra les moyens. Mais on ne met pas présentement les moyens, on fait rien pour que ce soit efficace. Si tous ces gens-là travaillaient dans une entreprise privée, ils seraient tout de suite congédiés. Ils ne sont pas liés à la performance, ils travaillent. Un sportif de haut niveau est à 200 % posé sur un podium. Il ne pense qu'à ça, tout est fait, tout est organisé dans sa vie pour aller sur un podium. Ceux qui doivent l'empêcher d'aller sur le podium parce qu'il triche, ce sont des gens, des notables, des gens au CIO, des gens qui n'ont pas de boulot les trois quarts du temps, qui n'ont pas de profession bien précise et qui se baladent. Ils emmènent leurs amies, leurs femmes, dans des hôtels 5 étoiles, ils vont dans des palaces, ils prennent le thé. À 18 heures, ils se mettent devant la télé et voilà. Comment voulez-vous lutter contre des gens dont toutes les fibres sont l'accès vers le podium? Avec des gens comme ça, c'est pas possible. Les gens de la lutte antidopage sont des amateurs et dans le mauvais sens du terme. D'un côté, on trouve des hyper professionnels et eux de l'autre. Ça ne marchera jamais tant que l'on est dans ce système-là.

Q: On va redescendre un peu sur terre, on était dans le futur. Les Jeux olympiques d'Athènes s'en viennent, vous les voyez comment? Avec des gens qui ne se présenteront pas, avec des 100 m qui se courront en 11 secondes. Comment vous les voyez?
R: Non. Je ne pense pas qu'il y aura des 100 m en 11 secondes. Ils ont déjà contourné l'histoire de la THG, qui est un stéroïde fabriqué spécialement pour les sportifs de la Californie et des environs. Mais il y en a d'autres qui sont sur le marché et qui permettent de passer à travers le contrôle. Là, on a compris la limite de la lutte antidopage. C'est que sans un entraîneur qui a envoyé la seringue avec le produit, jamais ils n'auraient trouvé la THG. (Dans l'affaire des Laboratoires Balco en Californie, c'est l'envoi anonyme par un entraîneur d'une seringue contenant le sang d'un athlète mélangé à de la THG qui a déclenché l'enquête.) C'est quand même extraordinaire. On a la démonstration parfaite que la lutte antidopage est quand même assez limitée pour ce genre de détection. Donc, d'autres stéroïdes du même type sont fabriqués par des laboratoires clandestins qui permettent aux sportifs d'améliorer leurs prestations. Je suis persuadé que le 100 m ne se courra pas en 11 secondes à Athènes. Cinq des huit finalistes du 100 m ont couru sous la barre des 10 secondes. Le

médaillé d'or sera l'Américain Justin Gatlin en 9,85 secondes. Le plus surprenant, c'est que, après sa victoire, son entraîneur Trevor Graham avouera être l'auteur de l'envoi de la seringue déclenchant le scandale de la THG! Ce qu'on peut dire par rapport à Athènes et qui est une injustice supplémentaire, c'est qu'on se rend compte que la lutte antidopage n'est pas bien dans ses baskets. On se répand dans les journaux depuis quelque temps, tout comme cela avait été fait à Salt Lake City, en annonçant « On n'est pas capable de trouver l'Aranesp... », c'est-à-dire l'EPO retard, pour mettre en confiance les sportifs et qu'ils se dopent. Et une fois que ces derniers sont pris, on peut dire « Voyez comme on est bons ». Pour Athènes, ils font la même chose. Ils sont sur le point de déceler l'hormone de croissance mais on ne les avertira pas. Et qu'est-ce que ça fera? Quand les premiers passeront au contrôle, ils se feront attraper. Mais tous les autres le sauront tout de suite et ils arrêteront. Il y aura trois lampistes qui se feront prendre et on dira ensuite: « Il y en a très peu qui en prennent... » Ainsi, tous ceux qui en prenaient et qui bénéficiaient de la cure pendant les jeux d'Athènes arrêteront. Après trois jours, vous ne trouvez plus rien, même en 24 heures. Avant, ils pouvaient les prendre tous les jours parce que le contrôle était inefficace, mais si le contrôle est efficace, ils arrêteront le jour même. Donc ni vu ni connu. On crée une injustice supplémentaire. Comment peut-on croire que l'on réussira à évangéliser entre guillemets les sportifs sur l'éthique, alors qu'eux, les dirigeants du sport mondial, l'éthique, ils s'assoient dessus... Il faut être cohérent. S'ils jouent ce jeu-là à la lutte antidopage, on ne peut pas avoir de considération pour eux.

Q: Athènes aura ses tricheurs qui réussiront les tests parce qu'ils savent le faire. C'est ça?
R: Oui. Et il n'y a pas que l'hormone de croissance. Il ne faut pas rêver! Il y a d'autres facteurs de croissance qui sont indécelables. Il existe des produits qui datent de 30 ans et qui sont toujours indécelables. Le sportif sait très bien ce qu'il doit prendre pour ne pas se faire attraper. Leurs problèmes sont par rapport à des produits qu'ils avaient l'habitude d'utiliser et qui sont maintenant

décelables. Donc là, ça modifiera leurs histoires. On l'a vu à Montréal en 1976 justement, c'était la première fois où l'on testait les anabolisants aux Jeux olympiques. À Athènes, toutes les performances des lancers seront cassées. Mais quelques semaines plus tard, tout repartira, tous les records seront de nouveau battus, parce que les sportifs s'adaptent. Chaque fois qu'il y a une avancée de la lutte antidopage, il y a une professionnalisation du monde du dopage. Donc depuis 1965, depuis que la lutte existe, il y a toujours le même décalage entre les dopeurs et ceux qui contrôlent le dopage.

Q : Pour conclure, que diriez-vous docteur de Mondenard si, tout simplement, on abandonnait et qu'on laissait faire ? Qu'ils s'arrangent avec leurs problèmes, comme on dit chez nous ?
R : Oui, à ce moment-là si on libéralise le dopage, ça revient à libéraliser les moyens de locomotion dans les marathons et donc on peut faire le marathon en motocyclette. Je veux dire ça n'a aucun intérêt. Moi, le sport comme ça, ça ne m'intéresse plus en tant que sportif. Et en tant que médecin non plus. En tant que sportif, ça ne m'intéresse pas de concourir contre des gens artificiellement préparés. Il n'y a aucune satisfaction à participer à ce genre d'histoire. Donc la libéralisation du dopage… En plus, les dangers seront accrus, ça c'est clair. Mais puisqu'on ne maîtrise pas bien le contrôle antidopage, et qu'on laisse passer à travers les mailles, de nombreuses personnes qui trichent, je ne suis pas sûr que l'on sera plus performant avec un contrôle que sans contrôle. Ce qui est sûr c'est qu'il n'y a plus d'éthique. Donc là, il n'y a plus de sport.

Q : Peut-on dire que vous êtes toujours passionné par le sport, par l'idéal sportif ?
R : Je suis toujours passionné par le sport, parce qu'on a des muscles et qu'il faut faire au mieux pour qu'ils s'entretiennent. Il faut qu'on les alimente en oxygène, il faut qu'on fabrique des vaisseaux sanguins. Il n'y a que le sport qui peut les fabriquer. Peut-être que dans un proche avenir le génie génétique nous permettra de créer des vaisseaux sanguins sans faire de sport, sans

se remuer. Pour oxygéner nos cellules cérébrales, il faut plus de sport. Tout cela fait partie d'un équilibre. Un homme qui dit qu'il n'aime pas le sport, c'est qu'il n'aime pas l'homme. Il faut faire une activité physique, peut-être pas de la compétition, mais une activité physique, certainement. Je suis toujours passionné d'activités physiques. Je regarde effectivement beaucoup moins de sport à la télévision parce que je suis trop occupé, peut-être pas parce que c'est de la triche organisée. J'ai peu de temps pour regarder tout ça. Mais j'aime bien. Récemment, je regardais le match de Monaco contre le Real. Je regardais parce que, effectivement, jouer à ce niveau-là, c'est toujours beau à voir et j'ai découvert des joueurs. Si je n'avais pas regardé, jamais je n'aurais su qu'ils étaient aussi performants…

Q : Donc, si je vous comprends bien, vous serez devant votre poste de télé quand on montrera ces hommes sélectionnés pour la finale de la Coupe du monde et qui feront vibrer 200 000 personnes. Vous serez de ces gens-là ?
R : Si la finale de la Coupe du monde a lieu pendant que je vais m'entraîner à Fontainebleau, eh bien je vais à Fontainebleau. Mais si elle a lieu le soir et que je ne vais pas m'entraîner et bien là je regarderai. Mais si j'ai le choix entre les deux, je choisis mon activité physique.

Non-assistance
à personne en danger

Le témoignage de Brigitte Chaboud

« Le ski m'a tout pourri. Aujourd'hui, après la coke, l'héro, je me considère encore comme une merde. »

Les liens entre dopage et toxicomanie sont de plus en plus une réalité. Une étude produite par Marie Choquet, directrice de recherche à l'Institut national de la santé et de la recherche médicale (INSERM) en France, montre une corrélation entre l'intensité de la pratique sportive et la consommation de substances psychoactives (alcool, tabac, stupéfiants). L'INSERM a distribué un questionnaire dans une vingtaine d'établissements spécialisés en soins liés à ce type de problèmes. Sur les 1 111 répondants, 86 % des sujets sondés avaient pratiqué au moins une activité sportive et 10 % avaient participé à une compétition nationale ou internationale. De ce total, 20 % indiquaient avoir pratiqué le sport de façon intensive. Une autre étude qui provient cette fois des cliniques Montevideo et de l'association Nova Dona, deux établissements parisiens spécialisés en désintoxication, montre que 20 % des patients avaient pratiqué un sport de haut niveau.

Plusieurs questions se posent alors pour expliquer le phénomène. Est-ce attribuable à la dépendance aux produits dopants ? À une retraite sportive mal préparée ? À un encadrement sportif laxiste ? À un cocktail des trois ?

C'est dans la ville d'Annecy, au pied des Alpes françaises, que j'ai tenté de trouver une réponse. Elle s'appelle Brigitte. Dès l'âge de deux ans, elle était déjà sur des skis. Quelques années plus tard, elle a vécu ses premières compétitions. La spécialiste du slalom a volé de victoire en victoire et brillé sur le circuit de la Coupe du monde. Mais pour la championne, une seule chose comptait, l'atteinte de la perfection. Après quelques contre-performances, Brigitte a découvert les premières amphétamines. Les blessures à répétititon ont été synonymes d'échec sur les pistes. Des échecs qui l'ont poussée à abandonner la seule chose qui comptait pour elle : sa passion. Un vide s'est installé qu'il a fallu combler rapidement. A commencé alors une lente et vertigineuse descente dans l'enfer de la drogue.

En ce jour de mai, Annecy s'ensoleille. Les enfants sentant l'approche de la fin des classes ont envahi les abords du lac et font fuir les quelques cygnes qui y avaient trouvé refuge. Non loin de là, c'est dans un petit appartement que m'accueille Brigitte. Sobre, aux odeurs d'encens, la salle à manger est entièrement décorée de drapés de soie peinte, sa nouvelle passion. En guise de bonjour, une curieuse entrée en matière, Brigitte me prévient que les toilettes sont bouchées. « Je suis encore dans la merde ! » me dira-t-elle avec cette franchise que je viens de découvrir et qui la caractérisera au fil de l'entretien. Une entrevue sincère, profonde, interrompue par l'émotion et les souvenirs qui refont surface. Brigitte ne prend aucun détour pour m'expliquer cette succession de claques sur la gueule d'une fille qui a connu le fond d'un baril, amer, pestilentiel, immonde. Un témoignage sans complaisance, à la fois dur, cruel, mais aussi authentique et chaleureux. Une confidence aux allures de thérapie improvisée.

Q : Brigitte, je voudrais d'abord que vous nous expliquiez votre parcours. Comment êtes-vous arrivée au sport de haut niveau, skieuse, membre d'une équipe nationale ? Racontez-nous.
R : Je suis née dans une station de ski, à Saint-Gervais en Haute-Savoie, en France. Mon papa était moniteur de ski pendant les vacances. Ce n'était pas un emploi à plein temps, mais il a toujours été skieur. Moi, j'ai commencé à skier, j'avais deux ans et demi. D'ailleurs, j'ai des photos avec mon petit pompon rouge. J'adorais ça. Mon père a un souvenir : il neigeait et je ne pouvais pas encore prendre un télé-ski et on remontait à pied et quand je redescendais, je disais : « Encore, encore, encore ! » C'était Noël et à cinq heures, il faisait déjà nuit, lui était congelé et moi c'était :

«Encore, encore!» C'est vrai que je skiais déjà très bien, mais je n'ai pas commencé la compétition. Il y a des enfants qui commencent la compétition à cinq ans. Moi je skiais comme si je m'entraînais. J'y allais tous les jours de congé, tous les week-ends, mais je n'étais pas au club. Et puis les entraîneurs du ski-club de Saint-Gervais ont dit un jour à mon père: «C'est dommage, Brigitte skie bien, pourquoi elle ne rentre pas au club?» Moi, je n'avais pas trop envie. J'ai toujours été un peu sauvage. Je ne parlais pas beaucoup, j'avais un peu peur. Enfin, je ne sais pas si c'est la peur ou plutôt une forme de timidité. Et puis il y avait une course qui se déroulait à Saint-Gervais, une compétition. Eh bien pour essayer, je me suis inscrite. En fait, je ne sais plus si j'ai gagné ou si j'ai terminé deuxième, en tout cas j'ai eu une coupe. Ma première coupe. Et puis voilà, on a appelé mon nom, je me suis avancée et je suis montée sur le podium. Je me suis aperçue que ça m'avait plu de courir, de faire du slalom, d'essayer d'être meilleure et toute cette ambiance. Mes parents ne m'ont jamais motivée, ne m'ont jamais poussée à la compétition. J'aurais pu rentrer au club bien plus tôt, donc c'est moi qui leur ai dit, c'était en fin de saison je crois: «Je veux m'inscrire au club.» C'est moi qui ai fait la démarche d'aller à l'Office du tourisme, de m'inscrire au ski-club. Au printemps, c'est des entraînements physiques et j'ai commencé par ça, pas en faisant du ski avec le club, mais par les entraînements physiques. Je me suis inscrite donc au Annecy Club, j'avais entre neuf et dix ans. Voilà, du départ jusqu'à l'âge de 13 ans, je n'ai pas énormément de souvenirs, à part que j'y consacrais tous mes week-ends et tous mes mercredis. Je skiais, mais bon j'étais très seule. C'était mon caractère tout de même, je pense. Et puis je voulais progresser, je voulais… comment dire, j'avais déjà l'idée de travail dans ma tête. Travailler pour être mieux. Je ne faisais pas de bêtises. Je ne cherchais pas à regarder la télé, le soir. C'était je vais à l'école, je fais mes devoirs et dès que j'ai cinq minutes, je m'entraîne.

Q: Le ski pour vous Brigitte était une passion, mais quand cela a-t-il commencé à devenir vraiment sérieux dans votre tête?
R: Je crois que justement il y a eu un premier déclic à l'âge de 13 ans. Un changement d'entraîneurs. Il y avait un Polonais, qui a

gagné une Coupe du monde. C'était un grand skieur, quelqu'un d'extraordinaire de par ses connaissances et son intelligence. Il parlait très mal le français au départ, mais cela faisait en sorte qu'on lui prêtait deux fois plus d'attention. J'ai tout de suite, je crois, adhéré à ses propos. Puis, à 13 ans, peut-être suis-je devenue un peu plus consciente des enjeux et j'ai voulu réussir. Je voulais gagner. Je me suis dit : « Un jour je gagnerai la Coupe du monde. » C'était : je veux réussir et j'y arriverai. Je travaillerai et j'y arriverai. Pour moi, chaque déception, chaque fois où je n'y arrivais pas, chaque fois que j'avais de mauvais résultats en course, c'était une catastrophe phénoménale.

Q : Vous deviez gagner ?
R : Oui, il fallait que je gagne. Je ne tirais aucune fierté d'être dans la moyenne, je me sentais nulle, désespérée, je ne parlais plus. Je passais tout mon temps à me concentrer et à me dire « il faut que j'y arrive », et à me demander pourquoi je n'étais pas meilleure que ça. Je me disais : « Vas-y, y a pas de raison, bats-toi, vas-y t'es nulle, t'as pas de courage ! » Mes entraîneurs n'étaient pas des gens qui parlaient beaucoup, surtout le Polonais. Par contre, avec lui j'avais un très bon feeling, il me poussait à m'entraîner toujours plus.

Q : Quelle est la réalité d'une skieuse de haut niveau ? Dépeignez-nous une journée type.
R : Je fais un aparté. À 16 ans et demi, je me suis fais un « genou », comme on dit en France. À ce moment-là, j'étais en Première S, donc scientifique à l'école. Juste avant la terminale pour passer le bac scientifique. Un bac S, c'est le plus haut niveau, c'est entre guillemets le plus difficile. Tout le monde m'a dit : « Avec le ski, tu n'y arriveras jamais. » L'hiver, je n'allais quasiment pas à l'école. J'y allais une fois toutes les deux semaines. Mais j'ai toujours passé de classe en classe. J'ai eu la chance d'être douée à l'école. Donc, quand je me suis fais mal au genou, mes profs m'ont dit d'arrêter le ski. J'ai répliqué : « Bon, si vous voulez que j'arrête quelque chose, c'est l'école que j'arrête ! » Encore une fois mes parents ont été totalement absents. Leur fille qui était première de classe et ils

n'ont même pas bondi quand je leur ai dit que j'arrêtais l'école. Et j'ai effectivement arrêté en Première, en me disant que j'allais suivre des cours par correspondance. Ce que je n'ai pas fait. J'ai repris le ski l'année après avoir soigné mon genou. Au début, j'ai eu de super bons résultats, j'avais un super bon feeling. Avec le recul, je sais pourquoi je suis arrivée à ça. Je m'étais fait mal au genou et j'avais été obligée de me reposer. Ça m'avait beaucoup aidée. Cette année-là, voici une journée type : lever à 6 h 30-7 h. Ensuite, un petit réveil matinal, c'est-à-dire courir un peu dehors, prendre l'air une dizaine de minutes, puis quelques assouplissements. Après le petit-déjeuner, je me préparais, je prenais la première navette qui monte sur les pistes pour aller prendre le téléphérique pour être à l'ouverture des pentes à 8 h 30, au Bettex c'est le lieu-dit. Je prenais le télé-ski et voilà j'attaquais les pentes. Généralement le matin, il y avait mon entraînement avec piquets, slaloms, avec les entraîneurs jusqu'à 12 h 30-13 h. Moi ensuite, je faisais encore une 1 h 30 en ski libre pour travailler techniquement les points qu'on m'avait mentionnés. Avec toujours cette idée de travailler, travailler, travailler. Les gens se moquaient de moi en me disant : «À force de faire des petits virages sur cette piste toujours de la même façon, tu vas creuser le terrain!» Maintenant je m'en rends compte de l'absurdité du truc, de ne jamais changer, d'être toujours dans cette routine, mais j'étais comme ça, il fallait que je le fasse. Je me disais : «Si je ne continue pas à skier, je ne risque pas d'y arriver.» Puis, vers 15 h, je revenais chez moi. Je prenais un goûter qui faisait office de repas du midi et après je repartais faire un peu de footing, un peu de musculation. J'allais préparer mes skis pour le lendemain, puis arrivait 19 h 30. Je préparais à manger pour la maison, je m'occupais de ma petite sœur. On a une grande différence d'âge, j'ai huit ans de plus qu'elle. Ensuite à 20 h 30 j'étais au lit, quand je le pouvais. Souvent, c'était plutôt 22 h, le temps de faire la vaisselle, le temps que mes parents s'engueulent...

Q : Dans votre tête, c'était quoi un travail, une passion ?
R : C'était toute ma vie. Il n'y avait rien d'autre. J'avais substitué les entraîneurs à ma famille, à mes amis. Ceux qui s'entraînaient

avec moi, c'étaient mes frères et sœurs. Oui c'était toute ma vie.
C'était une passion, le genre de passion qui fait plus de mal que de
bien, peut-être. J'étais capable de n'importe quoi pour rester dans
ce milieu, pour faire des résultats. J'ai plus de souvenirs de larmes
que de rires. Ce n'est pas une passion qui m'a apporté beaucoup
de joie. Le plus beau souvenir de ma vie, c'est un jour de janvier,
il faisait très froid. Il avait neigé c'était bien damé. J'ai pris la
première perche, j'étais toute seule au sommet de la piste avec le
soleil qui se lève et cette neige fabuleuse pour s'entraîner. C'était
beau, merveilleux. J'avais un sentiment de plénitude, mais d'une
plénitude liée au temps et au fait que c'était magnifique. À Saint-
Gervais, on a les pieds en face du Mont-Blanc… c'est un magnifique panorama. Ce jour-là, je me suis dit que j'allais bien
travailler et que j'allais y arriver. Quelque chose en moi me disait
que ç'allait être une bonne journée.

Q : Ça faisait un tout avec vous.
R : Oui voilà, c'est une entité.

**Q : Tout de suite après, que s'est-il passé ? Comment petit à petit, les
choses se sont-elles tranquillement mais sûrement envenimées ?**
R : Cette année-là puisque j'avais arrêté l'école, tous les jours,
j'avais le même emploi du temps, sans jour de congé. Sur le
moment, je ne m'en suis pas du tout rendu compte, mais j'étais
crevée. Ce n'était pas possible de vivre ça tous les jours. Je faisais
ça à partir du mois d'octobre. Quand arrivait le milieu de saison,
au milieu de janvier, ça faisait déjà quatre mois que je courais à
cette vitesse-là. Et j'ai eu des résultats dramatiques en FIS, les
compétitions internationales. Catastrophiques, quoi ! Comme si
je ne savais pas skier, quoi. Nulle dans les plus nulles, je crois que
j'avais fini avant-dernière. Les autres après la course étaient allés
manger au resto, moi j'étais dans le bus. J'ai pleuré pendant deux
jours d'affilée. J'avais perdu cinq-six kilos en hiver, évidemment je
ne mangeais qu'un repas le midi et je m'entraînais trop, sans
aucun jour de congé. Personne ne m'a dit d'arrêter, de me reposer.
C'est humain de se reposer. Je n'avais plus d'énergie. Puisque
j'avais quitté l'école, l'équilibre intellectuel me manquait énor-

mément. De ne pas apprendre, ça m'a manqué. Je m'en suis aperçue quand je suis retournée à l'école. J'y suis revenue avec l'envie de ne pas être là. Je n'ai jamais aimé cette ambiance scolaire, mais le bonheur d'apprendre, ça j'ai compris par contre. Cet hiver-là donc, j'ai fait des résultats catastrophiques. Puis, j'ai rencontré des mecs, qui tournaient avec le Comité des Pyrénées pour les courses. C'était juste avant que je me fasse mal au genou. Ils m'avaient dit sans que je fasse trop attention, mais alors que j'avais fait une course qui n'avait pas trop bien marchée, que j'étais désespérée et fragile : « Si tu veux y a des trucs qui pourraient t'aider, t'as pas un médecin qui te suit ? » Comme j'ai dit non, ils ont poursuivi : « T'es sûre, y a des vitamines, y a des choses quand même avec la pêche que t'as... » Et voilà, on m'a donné des trucs. Je ne me suis pas posé de questions. C'était des amphétamines. On m'a dit : « C'est juste pour te donner la pêche ! » J'en ai pris un peu, avant de me faire mal au genou. Après comme ça allait bien, j'en ai repris une ou deux fois. Je ne pense pas que l'on puisse appeler ça vraiment du dopage. Mais par la suite, quand ça n'allait plus du tout, je les ai recroisés et là j'en ai pris beaucoup plus. Ça me donnait la pêche artificielle, parce que ma fatigue physique était toujours là. Le ski, c'est un sport de feeling, et le feeling n'était plus là, donc c'était dramatique. Et j'avais tellement mal au genou... J'avais un bleu qui partait du milieu de la cuisse jusqu'à la cheville et j'étais beaucoup plus costaude que maintenant. Toute ma jambe était de la grosseur de ma cuisse et je skiais comme ça. J'avais un œdème, c'était atroce. Le moindre piquet que je prenais dans le genou c'était à hurler de douleur. Donc, en plus j'étais shootée aux anti-inflammatoires. Puis, j'ai commencé à prendre des anxyolitiques, tellement j'étais stressée. Ça c'est pareil, je ne les avais pas par le médecin. À l'époque, je prenais un truc relativement fort. Quand je m'entraînais et qu'il y avait une course, j'en prenais la veille au soir. Enfin sur 24 heures, je prenais la boîte, alors que c'est maximum 3 par jour. Et puis, je m'effondrais. Je pleurais tout le temps. Dans l'année, je crois que je n'ai pas souri une fois. Rire c'était hors de question, même sourire. Je ne souriais plus, je ne parlais pas. Mes parents étaient à l'ouest par rapport à cela. Je m'enfermais le plus possible, mis à part quand il fallait que je m'occupe de faire tourner la maison. C'était vraiment agréable! Ma mère, surtout, quand elle avait des crises – elle avait toujours un problème qui sortait de quelque part – il fallait qu'elle vienne pleurer dans ma chambre à minuit ou une heure du matin et précisément la veille d'une course, quoi! Elle me disait: «Ouais mais toi tu t'amuses bien, tu fais du ski. Regarde, moi j'ai du travail…» C'était super d'assumer ça, en plus de devoir élever ma sœur. C'est moi qui lui ai donné tous ses biberons, enfin voilà. Donc, je suis arrivée à un tel point de fatigue… Moi, je n'avais pas l'impression de prendre des choses illicites. Je ne me sentais pas coupable. Je prenais un truc qui m'aidait à vivre. Je ne sais pas si sans cela j'aurais plus déprimé, ça ne serait peut-être arrêté et ça aurait été plus simple, mais là j'ai vraiment vécu l'enfer. Et certains me disaient: «Mais arrête de t'entraîner comme ça, t'es crevée, tu ressembles à rien et ça sert à rien de toute façon, tu sais bien que tu n'y arriveras jamais!» Et à 16 ans, de tels propos peuvent vous casser. En plus, comme j'étais crevée je n'arrivais pas à faire un résultat… Je crois que j'ai fait une profonde dépression, tout simplement…

Q: Preniez-vous ces produits pour avoir moins mal, pour avoir un sentiment d'invincibilité, ou pour vous dire que ce coup-là ça va marcher?
R: Dans ma tête, les amphétamines c'était surtout pour avoir plus la pêche. Je me disais que je n'allais pas assez à fond, je n'allais pas assez chercher toutes mes ressources. En ski, il y a quand même des fois où on a peur. La pente, c'est raide. On tombe, on se fait mal. On avait un stade d'entraînement géant, hyper pentu. Un jour, c'était gelé comme du béton, et je suis tombée. Je me suis arraché le ligament du pouce, aux deux mains. Ça m'a coupé les nerfs à travers le gant de ski. Je suis restée sur la piste. L'entraîneur n'a même pas lâché la perche. Il m'a dit d'aller voir le secouriste en bas de la piste, puis il m'a laissée. J'avais les deux ligaments arrachés et ça saignait. Il ne m'a même pas essuyée, il m'a dit de ne pas descendre en ski, de prendre la benne. Comment vouliez-vous que je prenne la benne? Je ne pouvais ni porter mes bâtons ni mes skis. J'ai donc été obligée de descendre en ski.

Q : Vous n'aviez pas pensé toute seule à prendre ces produits-là. Il y avait des gens sur le circuit qui vous les avaient proposés ?
R : Oui, oui tout à fait. Moi je ne savais pas. La première fois c'était des hommes que j'avais déjà vus. Le ski en France fonctionne en comités et le comité regroupe plusieurs départements. Ils étaient donc près du Comité des Pyrénées. Je les voyais souvent avec eux. Je ne savais même pas si c'était des entraîneurs ou autre chose. Certains comités ont des préparateurs physiques, un peu des gourous ou alors des masseurs. On ne pose pas la question, qui fait quoi ? Un jour, deux d'entre eux sont venus me voir. J'étais désespérée à la fin d'une course. Il m'ont bien flattée : « Tu skies très bien. Mais as-tu quelqu'un qui te suit physiquement, t'as un médecin qui te prescrit des choses ? » Comme je disais non, ils ont poursuivi : « Comment ça se fait, t'as même pas un diététicien ? » J'ai répliqué que tout allait bien, que je mangeais équilibré. Mais ils ont poursuivi : « Fais-nous confiance, tu verras, j'ai un cocktail de vitamines, tu te sentiras mieux, tu auras la pêche… c'est vraiment dommage que t'aies rien, t'as tout pour bien skier, t'as tout pour réussir, tu verras avec ça tu pourras t'épanouir. » C'est pas les mots exacts, mais c'est ce que j'ai ressenti à ce moment-là. Et j'ai accepté. Au fond de moi, je ne me posais pas de questions. Un truc avec lequel je me sentirais mieux, avec lequel je ferais des résultats… on pense pas à autre chose.

Q : Vous commenciez alors à prendre des amphétamines. Vous en ressentiez les effets ? Un changement d'attitude aussi ?
R : J'étais renfermée et assez agressive. On me surnommait « miss 100 000 volts ». J'avais une patate d'enfer. Je réagissais au quart de tour. Physiquement, j'étais pas fatiguée. Mais au bout d'un moment les muscles, le corps, tout ça dit « Merde ».

Q : Donc vous êtes allée jusqu'à la cassure, jusqu'à la brisure. Racontez-nous comment ça s'est passé. Et la vraie descente aux enfers.
(Long silence.)

Brigitte a les mains tremblantes. Elle ne tient plus en place comme une enfant qui serait restée assise trop longtemps. Elle s'allume une autre cigarette, qu'elle fume compulsivement, reprend son souffle et me redemande si je veux un verre d'eau en s'excusant de n'avoir que cela à offrir. J'accepte alors, car je m'aperçois qu'une larme qui ne demande qu'à être séchée coule sur son visage. Brigitte revient après quelques minutes passées dans la cuisine. Je lui demande si tout va bien et si elle a envie de continuer. Elle acquiesce tout en me disant que l'exercice n'est pas facile. Mais Brigitte la championne reprend vite le dessus et me dit que de toute manière il faut aller jusqu'au bout.

Q : Ensuite Brigitte, ça fonctionnait de moins en moins bien, les choses se corsaient, l'horizon se noircissait. Progressivement vous vous enfonciez dans une espèce de brouillard. Comment ça s'est passé ?
R : Oui, ça allait de plus en plus mal. J'ai donc décidé d'arrêter le ski. J'avais 19 ans. J'étais devenue boulimique et anorexique. La fin de la saison s'était tellement mal passée. Je suis restée un mois enfermée dans ma chambre, je n'allais même pas manger à table. Quand mes parents n'étaient pas là, je faisais le ménage, je leur préparais la bouffe, mais je ne mangeais pas à table. Je ne sortais pas, je boulimisais. J'en étais à faire cinq-six crises par jour à manger-dégueuler, manger-dégueuler… Au début, je ne vomissais pas alors j'avais pris dix kilos dans l'été. J'étais devenue énorme, je ne me supportais plus. Après, je me faisais vomir, c'était l'horreur, mais j'ai reperdu super vite mes kilos. Bref, à la rentrée, j'ai décidé de retourner à l'école cette fois en Terminale C. Pendant les vacances de Noël, mon entraîneur avec qui je m'entendais bien et qui était comme mon père m'a dit que c'était dommage. Que je skiais bien. Il m'a aussi dit qu'il y avait une compétition FIS à Saint-Gervais et m'a demandé d'y aller. Je me suis entraînée un peu pendant les vacances de Noël. J'étais un peu pataude, parce que un peu lourde, mais je skiais bien. Et en fait, j'ai fait un super résultat dans cette course. Du coup, j'ai fait toute la tournée FIS pendant l'hiver, dont une course avec toutes les filles de la Coupe du monde. Et j'étais dans leurs temps, j'avais de

super résultats. Mais dans ma tête j'y croyais plus. À 19 ans, une fille qui a pas encore réussi, qui n'est pas en Coupe du monde, elle était finie. Mais n'empêche. Maintenant avec le recul, je sais pourquoi cette année-là, tout a bien fonctionné. C'est parce que de tout l'été, je ne m'étais pas entraînée, je m'étais reposée. J'avais mangé. Tout le travail de l'année précédente à m'entraîner comme une folle, avait servi à ce moment-là. J'avais tellement de ski dans les jambes que ça m'avait pas gênée de ne pas skier de tout l'été. Physiquement, j'étais déjà tellement musclée que j'avais pas besoin d'en faire plus. Voilà pourquoi j'ai eu une superbe saison. Mais cela dit, j'avais encore très mal au genou. Je prenais toujours des anti-inflammatoires, à doses phénoménales. Les amphétamines j'en prenais un peu moins. À l'école, on me disait qu'avec la Terminale C plus le ski, je n'y arriverais pas. Ils ont eu tout faux parce que même si je n'ai pas mis les pieds à l'école de l'hiver, j'ai eu mon bac avec mention tout de même. Mais à la fin de l'hiver, je savais que c'était fini. J'étais tellement déçue de la vie. J'étais admise en tant que sportive de haut niveau à l'INSEEC, c'est une grande école d'ingénieurs en France, une des meilleures. J'ai refusé d'y aller, simplement parce qu'il fallait que j'aille à Lyon m'inscrire et qu'on me demandait de skier. Je ne voulais plus skier et ne plus avoir la pression du ski. Je regrette, car maintenant je serais ingénieure. Et le ski, c'était ce que je voulais faire dans la vie. Mes parents eux c'était toujours pareil. Ils étaient complètement absents. Ils ne m'ont même pas encouragée. Ils ne m'ont pas félicitée d'être admise comme étudiante sportive de haut niveau. Ils ne m'ont pas fait voir que j'aurais un emploi du temps aménagé pour pouvoir continuer la compétition sportive. Je n'avais pas le courage d'aller toute seule à Lyon, d'aller m'inscrire, de remplir mon dossier, de demander quelque chose. Je me voyais tellement nulle en ski que d'aller demander le statut de sportive de haut niveau, c'était la honte.

Q : Vous vous dévalorisiez ?
R : Oui. J'en étais là. Je me disais que je n'étais pas meilleure que le péquin moyen qui fait du ski, quoi. Personne n'a cherché à m'aider ou à m'encourager. Depuis que j'étais toute petite, mon

rêve c'était de faire médecine entre autres. Eh bien c'est pareil ! Il fallait que j'aille m'inscrire, que je m'en occupe, mais comme j'étais toute seule sans motivation, qu'est-ce que j'ai fait ? J'ai rempli un dossier pour rentrer à la fac parce que c'était plus simple. J'étais tellement fatiguée que j'avais pas envie de me faire chier. J'ai donc fait des maths, et moi les maths, ça ne me demandait aucun effort. Il me suffisait d'être attentive en cours. Je suis donc entrée à la fac et j'ai continuer à courir deux ans dans l'équipe de France Universitaire. Et puis, j'en ai eu marre de louper des cours, de me trimballer dans Grenoble avec mes sacs, les casques, mes skis. Et je me disais : « Et même si je deviens championne du monde universitaire, ce qui était pas sûr, eh bien personne ne le saura. Et puis je vais rater mes études pour un truc dont personne n'a rien à foutre, même moi, quoi. Faut arrêter tout de suite. » Et puis j'avais toujours mal au genou. Le dernier automne on s'entraînait aux Deux Alpes, tous les jeudis, vendredis, samedis et dimanches. Eh bien, je me faisais une entorse tous les 15 jours et je skiais avec. Puis un jour, je me suis pété un câble sur une piste. Je me suis refais mal au genou. J'ai descendu en bas et, pour une fois, j'ai appelé mon père pour qu'il vienne me chercher et me déposer à Grenoble où j'avais mon appartement. Je n'ai pas skié pendant deux ans. Je n'ai pas remis des skis.

Q : Qu'est-ce qui s'est passé pendant ces deux années-là ?
R : J'étais boulimique et anorexique à fond. J'étais super mal, déprimée. J'ai vécu comme une somnambule. J'allais à la fac, j'étais très attentive, heureusement… J'étais très attentive à ce qui se passait aux cours, mais en dehors je ne faisais rien. Je ne sortais pas. Ça me faisait bizarre parce que j'avais passé ma vie à manquer de temps, à courir, toujours à me dire : « Ah, j'ai cinq minutes, vite je vais m'entraîner, vite, il faut que je me lève tôt pour faire mes devoirs… Bon là j'ai un examen. Ah j'ai deux heures, donc je vais m'entraîner. Je reviens, je bosse un peu… » Et, d'un seul coup, j'avais du temps. Il n'y a rien à faire, la télé, la musique, je n'y connais rien. Je ne sais rien faire à part du ski. J'avais fait 10 ans de danse à un petit niveau, et mis à part un petit boulot, je n'avais rien fait d'autre. Je n'étais jamais sortie de ma vie avec un mec. J'ai

commencé à sortir l'année où j'ai dit que j'arrêtais. J'avais jamais bu un verre, pas une cigarette, rien. Alors d'un seul coup, tout est tout plat.

Q : Mais vous aviez un vide énorme à combler ! Vous aviez occupé les moindres petits recoins jusque-là, mais vous vous retrouviez devant un vide énorme. Qu'est-ce qui est arrivé ?

R : Dans un premier temps, je me suis reposée. Je n'avais envie de rien faire et je ne voyais pas ce qu'il y avait d'autre. La vie me semblait fade, tiède. Mais dans un premier temps ça allait, je me reposais. J'allais à la fac, je dormais, j'allais à la fac, je dormais... Avec mes études ça allait. Puis, je suis sortie avec celui qui était mon meilleur ami et qui a eu le même, exactement le même parcours que moi au niveau du ski et de tout. On a pu en parler. On se connaissait, et il y avait un amour fou qui a comblé ce vide. Puis, lui est parti chez les pros aux États-Unis, pendant six mois. On a vécu les déchirements dans les aéroports, sur les quais de gare, les larmes. Heureusement, il y avait la fac, ç'a bien rempli ma vie. Ça m'a permis de moins me refermer sur tous mes problèmes. J'avais plein d'amour à donner. J'étais très attentive. Et j'ai passé mon temps à l'aider, entre guillemets, parce que lui il avait complètement arrêté l'école et il avait pas passé son bac. Moi, j'avais pu le faire parce que j'étais douée à l'école, donc j'ai beaucoup bossé avec lui sur l'informatique et aussi pour l'aider à trouver un bon job, parce que c'est quelqu'un de bien, voilà.

Q : Donc en fait vous avez quitté le sport, mais vous avez ressenti des choses physiquement ?

R : Quand j'ai commencé mon diplôme d'études universitaires, je suis devenue hyperactive. L'année de mon DES (diplôme d'études supérieures), j'avais vraiment beaucoup de boulot. On bossait souvent en groupe et jusqu'à minuit. Après je faisais la fête toute la nuit et je repartais à la fac le lendemain matin. J'étais tout le temps à l'heure et tout le temps à fond...

Q : À un moment donné, ressentiez-vous des bouleversements dans votre corps ? En abandonnant le ski, ressentiez-vous des

manques physiques, qui feraient en sorte que vous alliez vous trouver d'autres palliatifs?

R : Je suis toujours restée boulimique et anorexique, avec toujours cette impression de vide. Donc je mangeais et je vomissais, je mangeais et je vomissais, jusqu'à ce qu'il n'y ait plus rien et que je remange mon vomi, quoi. C'est des trucs vraiment horribles. Maintenant j'arrive à en parler, mais c'est un truc… c'est une dépendance, c'est atroce. C'était donc ça en plus de l'hyperactivité. L'hyperactivité c'est quand j'étais à la fac, pour la dernière année de mon DES (Bac +5). Quand j'ai eu mon diplôme, j'ai eu un premier travail qui était bien. Mais après, je n'ai pas trouvé de boulot. Je voulais en fait faire un DEA (diplôme d'études approfondies) pour faire de la recherche. Mais mes parents, très absents, ne m'ont pas aidée, alors qu'en fait ils avaient les moyens. Je me suis retrouvée sans boulot, à chercher, mais toujours dans l'hyperactivité, en me disant qu'il faut que tout soit nickel, dans une continuelle recherche de perfection, sans laisser-aller. Donc se lever super tôt. Le comble de l'horreur c'était de me lever le dimanche et de me traîner en robe de chambre, pas lavée, quoi. Tout de suite, il fallait que je me lave, que je me maquille, je me fasse belle. Tout est nickel. J'avais un sentiment d'urgence, mais surtout le sentiment qu'il ne fallait pas laisser les choses se dégrader, d'être toujours au top. C'était inadmissible pour moi que mon homme me voie traîner en robe de chambre. Comment aurait-il pu rester amoureux d'une grosse merde qui vomit 15 fois par jour et qui, en plus, se balade en robe de chambre le dimanche! À six heures, j'étais debout. À huit heures, la maison était étincelante et j'étais maquillée comme si j'allais bosser. Donc toujours ce sentiment d'urgence, mais surtout cette recherche de perfection. Je masquais un peu par les apparences l'imperfection que j'avais au fond de moi et le fait de me dire continuellement : « Je suis une merde, j'y arrive pas, j'y arriverai jamais, je ne sais rien faire! » Donc, au moins maintenir un peu les apparences. Je ne supportais pas de ne pas bosser. Fallait que je travaille. Pour vous dire, j'ai dévalorisé mon CV, j'ai inscrit un bac + 2. Je mentais pour trouver un boulot d'hôtesse d'accueil que j'ai finalement obtenu. J'ai donc bossé, et en plus j'étais logée. Avec la boulimie et l'anorexie, mes 15 crises par jour, j'ai vraiment maigri. Je suis descendue à 32 kilos. C'était relativement grave. Après j'ai trouvé un job dans une petite boîte où j'étais mal payée, mais où on a bien su utiliser le fait que j'étais… (intervention de l'interviewer : Beaucoup plus brillante), oui voilà. Alors je bossais de 7 h du matin à minuit. Et je recommençais le samedi matin. Tout ça pour 8 000 francs par mois ! J'ai donc carrément endossé toute la responsabilité de l'entreprise. Et à la fin, dans cette boîte, j'étais tellement sur les nerfs, sur le plan dépendance physique, que je me suis mise à fumer. Toujours ce besoin d'être accro à quelque chose. Je fumais énormément. Je sortais du boulot entre 22 h et minuit, et je filais direct dans les bars, les boîtes de nuit. Je passais chez moi me doucher et puis je remontais bosser. Comme je sortais, je buvais beaucoup. Tout ça, ça se passait bien. Toujours dans cette action à fond, sans m'en rendre compte, tout en continuant à faire toujours des crises de boulimie. Mais tout commençait à se dégrader quand même. Je commençais à ressentir des signes graves et à avoir des fréquentations moyennes. Je commençais à ressentir pas mal de coke, pour tenir. On a beau être hyperactif pour tenir comme ça 7 jours sur 7, il faut quelque chose. Je tournais sur la coke. Puis la boîte où je bossais a capoté et mon couple a éclaté, à cause de… à cause de tout ça quoi. On ne se croisait plus, moi j'étais plus jamais là. J'étais toujours à fond, toujours sur une autre planète, à fond dans le boulot ou à fond dans la fête. Mais rien de concret, de réel, de sympa, de posé. Pour moi, il fallait toujours faire quelque chose, tout de suite. Rester un dimanche après-midi à regarder la télé, alors qu'on a bossé toute la semaine et qu'il pleut, y a rien de mieux ! Eh bien non ! Il fallait que je fasse quelque chose. Y avait rien à faire ? Il fallait que je fasse du ménage, et que je trouve toujours un truc à faire, car en plus, j'aime bien travailler de mes mains. Je me mettais donc à faire des plantes, des pots… Et c'est ainsi que l'on s'est perdus de vue. On a oublié de se parler. Moi je suis d'une nature qui ne parle pas trop. Alors quand je l'ai perdu, j'ai perdu tout ce qui me restait. J'avais 30 ans, quand je m'en suis rendu compte. Mon ami et moi, on est restés 10 ans ensemble. Et j'avais aussi perdu le ski… Quand on voit un reportage à propos des gens sur le RMI (salaire minimum), on se dit: «Oh le pauvre, il a perdu son boulot, sa femme l'a quitté, ses amis ne lui parlent plus…», eh bien quand on arrête un sport de haut niveau, c'est ça. Quand on arrête, on perd son boulot, on n'a plus rien qui nous fait courir. On perd sa famille (les entraîneurs), tout ce qu'on croit immuable. On perd ses amis, ceux qui s'entraînent avec nous. On perd tout d'un coup, et il n'y a personne qui pleure sur notre sort. Je veux pas que l'on pleure sur mon sort, mais ce que je veux dire, c'est que c'est ce qui arrive. Le seul truc qui m'a rattachée, c'est Lionel, mon ex. Il a été mon repère. Et moi, la même chose pour lui. On avait une codépendance énorme, tout en étant très autonome dans ce que l'on faisait. On n'était pas fusionnel, mais c'était une codépendance de savoir qu'il y avait la présence de l'autre. De savoir qu'il y a au moins quelqu'un qui est resté, quelqu'un qui a les mêmes valeurs, quelqu'un qui comprend. C'est important.

Q: Parlons un peu de la coke. Car, passez-moi l'expression, vous aviez retrouvé finalement une autre piste blanche. Sans faire de mauvais jeux de mots, vous y retrouviez en fait votre sensation, votre ski à vous? C'est cette sensation que vous tentiez de retrouver?

R: Bien oui, avec la coke, j'étais bien, à fond, avec plein de gens, plein de choses, de l'énergie. J'avais toujours quelque chose à dire, les gens venaient me voir, ça se passait bien. Je suis quelqu'un d'un peu inhibée, donc voilà grâce à la coke, à l'alcool, tout était génial. Tout s'enchaîne à fond, mais tout se pète la gueule aussi: le boulot s'arrête. Je dois licencier tout le monde, mais le problème c'est que je dois me licencier aussi. Mon couple avait volé en éclats deux mois auparavant. Moi, sans lui, je n'étais plus rien. Alors grosse dépression. Donc la coke sur la dépression, c'est toujours pareil. Et puis j'ai commencé à sniffer un peu d'héro, à être super mal. Là mes amis s'en sont aperçus, mes vrais amis, quoi. J'avais aussi commencé à picoler. Je picolais tellement qu'on me retrouvait dans les poubelles le matin. Je prenais tellement de coke que pendant trois jours on me voyait partout, j'allais à la piscine, je sortais, que ça en était pas normal. Tout le monde me voyait courir dans Annecy, alors qu'il y avait rien qui s'y passait… En plus, je supportais pas d'être vue. Ce n'est plus de l'imperfection, c'est d'être vue. J'ai donc fait une tentative de suicide. J'étais à l'hôpital. De là a commencé un long parcours. Lorsque je suis sortie de l'hosto (hôpital), je me suis mise à me shooter à l'héroïne. C'était le seul truc avec lequel enfin je me sentais bien. Ça enlève la dépression. Ça enlève ce besoin de faire des choses, ce besoin de reconnaissance, tout s'arrête, la vie se pose. D'un seul coup, c'est simple de rester assis sans rien faire. Je ne me faisais plus de souci, alors qu'avant je m'en faisais tout le temps, j'étais hyper stressée. La coke, quand ça redescend, après on est à bout de nerfs, on a peur de tout, ça rend parano, et il y a aussi les effets secondaires. Alors qu'avec l'héroïne, on n'est pas mal. Je ne veux pas faire l'apologie de l'héroïne, mais si on en prend, c'est qu'il y a une raison. C'est qu'à un moment donné, ça fait du bien ! Mais voilà, tout ça, ça commence à coûter cher et l'argent faut le trouver quelque part… ouais c'est vraiment la descente aux enfers. J'ai fait plusieurs trucs. J'ai été plusieurs fois à l'hosto. Je me suis fait ramassée par la police, par des pompiers, par des gens dans la rue. Je m'écroulais à des endroits, je savais même pas où j'étais, puis je revenais trois jours plus tard chez moi. Quand je reprenais pied un petit peu, c'était tellement terrible, tellement plus l'horreur qu'avant. Alors, il fallait absolument que je reprenne quelque chose. Et physiquement… c'est dur. Il y a une accoutumance physique. Vous n'arrivez plus à marcher, enfin c'est atroce. On a envie de vomir. On a la tête qui tourne. En plus quand on retrouve un peu d'esprit, c'est dans la tête que c'est le pire. De ce côté-là, ma douleur psychique a toujours été cent mille fois pire que tout ce que j'ai pu éprouver de physique. Que ce soit au niveau du ski, de l'amour ou de l'héro ou de la coke, pour moi, le pire n'est pas le physique. Le mal physique c'est là, c'est précis, on peut mettre un nom dessus, on peut essayer de prendre des cachets. Mais quand ça tourne dans la tête et que ça ne s'arrête pas, et que ça ne s'arrêtera pas tant qu'on ne prendra pas quelque chose… c'est pire !

Q : Et à aucun moment vous avez visualisé le ski, pour vous raccrocher à quelque chose que vous connaissiez ? Où alors vous n'y pensiez plus, vous étiez dans un tourbillon…

R : Ah si. Moi j'en rêve toutes les nuits. J'en rêve souvent, je hurle. Je ne fais pas ce qu'on appelle des cauchemars, je ne vois pas de gros monstres ou des trucs invraisemblables. Je vois ma vie, des situations dures où on me laisse. Je skie et on ne m'entend pas. Je suis sur mes skis, je m'entraîne, c'est dur, c'est toujours là dans mes rêves. Dès que j'ai une mauvaise journée, que je suis un peu stressée, je rêve à ça. Et puis j'y repense, aux sensations, à la vitesse… Mais je pense plus souvent à ce qui m'a fait du mal en général qu'aux bons moments.

Q : Alors sortons du tunnel, si vous le voulez bien, Brigitte, parce qu'à un moment donné vous êtes sortie du tunnel, vous avez vu une petite lumière et vous vous êtes accrochée. Plus vous avanciez et plus la lumière devenait présente. Alors comment vous en êtes-vous sortie ?
R : Donc quand la boîte a capoté, je me suis retrouvée à l'aide sociale. Ensuite, je me suis fait virée d'un autre boulot parce que l'on m'a retrouvée défoncée. Je trouve autre chose, mais une fois encore, on me retrouve nageant dans mon sang. J'ai un ulcère à l'estomac que j'avais réouvert dans les chiottes, mais ça passe. Une autre fois où je m'étais enfermée dans les toilettes, ils ont dû escalader la porte parce que je m'étais défoncée. Je m'étais shootée au boulot en pensant que la dose allait faire que je me sentirais juste bien, mais il y en avait un peu trop et je me suis endormie dans les chiottes. Donc je me suis encore fait virée. J'ai pas protesté, c'était normal. Toutefois, je m'étais liée d'amitié avec une dame dans ce bureau et elle m'a parlé du Thianty (le châlet du Thianty est un centre de désintoxication dans les Alpes qui utilise le sport pour faire décrocher de la drogue). Elle m'y a accompagnée. Là-bas, on m'a expliqué ce qu'il fallait faire, dont écrire une lettre de motivation. J'ai fait ma lettre et elle a été acceptée. J'y suis rentrée en octobre 2002…

Q : Expliquez-nous c'est quoi le Thianty et où ça se trouve par rapport à Annecy, par exemple.
R : Par rapport à Annecy, c'est à une quinzaine de kilomètres, c'est un petit bled dans la montagne. Enfin le bled est à l'est de Thianty.

C'est une espèce de grande demeure qui est une résidence pour toxicomanes et où on donne une part assez importante aux anciens sportifs. Il y en a toujours un certain pourcentage et leur thérapie est beaucoup axée sur le sport.

Q : Alors vous vous êtes retrouvée avec d'autres sportifs, est-ce que vous avez échangé vos histoires, est-ce que ça faisait partie de votre thérapie ? Finalement, est-ce que vous pensiez : « Je me retrouve avec des gens qui ont vécu la même chose que moi. Les mêmes sensations, le même parcours, presque le même cheminement que moi » ?

R : Oui, ce n'est pas tant dans le fait d'échanger, c'est le fait de voir qu'il n'y a pas que moi. Je ne suis pas une extraterrestre. Aujourd'hui, j'ai 35 ans. Mais quand je parle de choses qui se se sont passées quand j'en avais 15, les gens me disent qu'il faut passer à autre chose, qu'il faut tourner la page. Mais c'est comme un gamin qui a été traumatisé à l'école. Mes premiers souvenirs c'est comme une première « addiction ». Et ma première « addiction », c'était le sport. Ça remplit tout l'espace, ça prend tout le vide dans ma tête et dans mon cœur. C'est une passion destructrice qui se transforme en une « addiction » au travail, à faire quelque chose, à être quelque chose. Et c'est bien d'en parler avec des gens qui vous disent la même chose, même si c'est différemment, car chacun a son feeling, sa façon de penser, sa sensibilité. Il y en a qui s'en sortent très bien justement parce qu'ils ont une sensibilité moindre ou une intelligence supérieure sur ce plan-là. (Intervention du journaliste : Vous avez retrouvé une famille ?) Oui voilà, on apprend à se recréer une vie de famille. Surtout qu'au Thianty, il y a très peu de résidents. On est une dizaine en général, 12 au maximum. On est peu, on reste six mois et on réapprend à vivre. On fait nous-mêmes le ménage, à tour de rôle. On apprend à faire la cuisine pour 10-15 personnes. On s'autogère et il y a beaucoup de sport. Des randonnées, l'été, et de la course à pied. On va en salle de sports le mercredi. Je suis rentrée en octobre, mon séjour s'est fait en deux parties. Normalement, c'est de août à décembre, ou alors de janvier à… Mais moi j'étais un peu à cheval sur les deux calendriers. Quand j'y suis retournée en janvier, j'avais tendance à vouloir trop en faire, en commençant par éviter de vouloir réfléchir sur moi-même, à vouloir faire les tâches ménagères, à vouloir tout faire. Je voulais que tout soit nickel, faire la cuisine, faire du sport, tout faire jusqu'à me faire mal à l'épaule. J'ai une périarthrite de l'épaule entre autres, de l'arthrose aux genoux. J'ai fait une grosse crise et je voulais quand même aller en salle. Mais on m'a fait comprendre que j'étais dans une démarche inverse à ce qu'on fait là-bas. Je devais apprendre à dire non, je n'y vais pas. Là-bas, il y a aussi des gens qui justement n'arrivent pas à y aller, qu'il faut pousser, qui se disent trop fatigués, trop mal pour faire quoi que ce soit. Moi, j'étais dans la démarche contraire. On me proposait parfois d'accompagner les autres, mais surtout de ne rien faire.

Q: En fait, vous aviez deux drogues, Brigitte. Il fallait vous décrocher du sport, mais il fallait aussi vous décrocher de la dope.
R: Voilà oui, en quelque sorte. Je faisais face aux deux manques en même temps. Avec un produit qui est là mais qui se gère, c'est le sport. J'ai dû réapprendre à y prendre plaisir et non pas le voir comme un travail ou comme un but pour devenir la meilleure. Si on fait un footing avec des potes, cela n'a aucune importance, on va à son rythme et voilà. Le premier sport que j'ai réussi à repratiquer, c'est la natation, j'avais tellement mal au genou – j'ai toujours mal d'ailleurs. Et c'est le premier que j'arrivais à faire sans compétition et sans me demander si je le faisais bien ou mal. Du vélo, j'arrive plus à en faire. J'en ai tellement fait à l'entraîne-ment que je n'arrive plus à en faire. Pourtant en endurance comme au footing, j'étais très bonne, mais en vélo j'étais nulle. Pourtant c'est pareil, c'est ludique le vélo, mais voilà en natation je me fais plaisir. Je suis dans l'eau. Tout est tranquille.

Q: Comment voyez-vous le sport aujourd'hui, Brigitte, êtes-vous capable de regarder une compétition de ski?
R: Ah bien, je regarde toutes les Coupes du monde à la télé, évidemment. Par contre, je suis allée voir une épreuve de Coupe du monde qui se passait à Chamonix cet hiver, et ça s'est pas très bien passé, je me suis mise à l'envers.

Q : C'est-à-dire ?
R : J'ai pris des choses que je n'aurais pas dû prendre. J'ai fait une mini-rechute, parce que ça me faisait trop replonger. Je voulais trop en faire. Je voulais trop voir de gens, trop discuter, trop être parfaite et dire : « Oui, ça va, je m'en sors, ma vie est belle. » Alors que ce n'est pas ce que je pense, ce n'est pas vrai. Je veux tellement faire semblant qu'il faut absolument que je prenne quelque chose pour y arriver à le faire naturellement. Sinon, je ne suis pas comme ça…

Q : Avec le recul maintenant, vous en voulez à qui ? à quoi ? Comment voyez-vous le sport de haut niveau ? Qu'avez-vous appris de toute cette histoire, de votre cheminement ?
R : Qu'est-ce que j'ai appris ? *(long moment de silence)*

Soudain, l'atmosphère de la pièce paraît d'une lourdeur intenable. Brigitte ressemble à un oisillon tombé fraîchement du nid, vulnérable, qui se demande ce qui va arriver. Encore une fois, la cigarette salvatrice s'allume et un bref séjour dans la cuisine pour « remplir mon verre » lui redonnera le souffle nécessaire pour terminer sa « descente ». Comme un entraîneur pour une fois attentif, je lui demande si tout est OK, si la « course peut continuer ».

Q : Brigitte, qu'avez-vous appris ? En voulez-vous à quelqu'un pour tout cela ? Quel enseignement en tirez-vous, au profit de ceux qui commenceraient le ski demain matin ?
R : Il est super important de savoir, peu importe le sport, qu'on commence jeune en général, on n'est qu'un môme. Même si c'est un sportif, ça reste un môme. Il faut le respecter. Il a besoin de tendresse, qu'on soit gentil, de voir autre chose que son sport. Il a besoin d'apprendre autre chose pour pas se retrouver complètement paumé le jour où il arrêtera. S'il n'a pas vu un seul truc dans la vie, il s'écrase complètement. Les entraîneurs doivent avoir une forme de gentillesse. Faut pas non plus materner, chouchouter, mais il ne faut pas être trop dur. Trop dur, c'est trop dur. Après ça fait des caractères renfrognés. Il faut les renforcer, mais pas trop

quoi, à une dureté qu'ils sont capables de prendre… Vous savez, trop de dureté ça fait des caractères qui vont jusqu'à l'extrême. Avec ce qu'il y a de bon, on est capable de faire des choses extraordinaires, mais on est capable du pire aussi. J'étais dans l'extrême. À ce stade-là, il n'y a rien qui fait peur, plus rien qui arrête. On sent qu'on est capable de tout, qu'on a la force, qu'on survivra. Eh bien non, ce n'est pas vrai! On a besoin des autres et dans le sport plus qu'ailleurs. Il faut arriver à créer une relation un peu plus éducative avec les entraîneurs dans laquelle il n'y a pas que le sport. Dans laquelle il y a un contact. Qu'on s'occupe un petit peu plus de ce qui se passe dans la tête des gamins, parce qu'ils passent autant de temps avec leurs entraîneurs qu'avec leurs parents. Les entraîneurs ont un rôle par ce qu'ils disent, par ce qu'ils sont et, un môme, on lui fait pas dire n'importe quoi. À l'école, qu'un maître d'école lui donne la moindre gifle et on a un reportage à la télé. Mais le nombre de claques intellectuelles qu'on se prend quand on fait du sport… Moi en ski, voilà le genre de trucs que pouvait me dire mon entraîneur: «T'as vu, on dirait un crapaud sur une boîte d'allumettes.» Eh bien selon la nature du môme, quand on entend ça et qu'on a 11-12 ans, ça vous reste toute votre vie. Il faut faire en sorte que le sport ne devienne pas une première «addiction». C'est sûr qu'à un plus haut niveau, c'est du travail. On est obligé d'y consacrer tout son temps. Mais où c'est très important, c'est avant cette phase-là, quand on est encore enfant. Il faut que le gamin puisse s'intéresser à autre chose, qu'il puisse être préservé, qu'il puisse grandir normalement, moralement et physiquement. Les petites gymnastes, on leur fait faire des trucs pas possibles, et quand elles ont 20 ans, elles n'ont plus de dos. Moi, j'ai les deux genoux bousillés, l'épaule bousillée. J'ai 35 ans, j'ai de l'arthrose et de l'arthrite. Franchement, ce n'est pas des maladies de mon âge. Et j'ai eu des problèmes de canal carpien… ça c'est affreux! À force d'être tellement stressée et d'avoir serré les bâtons, c'est un truc dingue… Les entraîneurs doivent faire preuve d'un peu de psychologie, d'un petit peu d'attention. Chaque enfant ne se traite pas non plus de la même façon. Il y en a à qui vous pouvez dire les pires insultes, ça les fera rire et, au contraire, il y en a d'autres que ça détruira. Et ils sont détruits à vie, quelque part. Moi, même si aujourd'hui je m'en suis sortie, quelque part je me sens toujours une merde. Je ne retrouve pas le goût de quoi que ce soit, parce que je crois que j'ai grandi avec l'idée, comme une valeur sûre, que je suis une merde.

Q: Comment vous slalomez aujourd'hui, Brigitte, comment voyez-vous votre vie? Qu'est-ce que vous faites? Comment trouvez-vous votre petit rayon de soleil? Comment ça marche aujourd'hui?

R: Ça marche moyennement. J'ai eu le regret du ski pendant des années, maintenant je ne l'ai plus. J'y pense avec nostalgie, mais pendant des années je me suis demandé ce qui serait arrivé si j'avais réussi… Maintenant j'y pense plus. C'est déjà un pas, ça s'est guéri avec le temps. Et puis, il y a mon histoire de couple. On s'est connus, j'avais sept ans et lui cinq. Eh bien, je ne supporte toujours pas qu'on soit séparés. Je le vis toujours très mal. Je suis perpétuellement plus ou moins dépressive. Parfois je me dis que c'est encore un truc que le ski m'a pourri, par enchaînement. À cause de ces putains «d'addictions», j'en ai même perdu la seule personne que je puisse aimer. Je ne me vois plus aimer de la même façon. En ce moment, j'ai quelqu'un dans ma vie, et il le ressent bien. Je ne lui donne pas ce que je serais capable de donner parce que je n'ai pas oublié. Tout ça pour des conneries pareilles. Pour croire! Pour croire en quoi?

Q: Vous êtes extrêmement courageuse, extraordinairement franche, pourquoi parlez-vous aujourd'hui de votre expérience? Vous êtes une championne, et il faut le dire, parce que faire le travail et arriver là où vous en êtes, faut être sacrément championne. Donc pourquoi en parlez-vous, aujourd'hui?

R: Parce que je crois que c'est nécessaire d'en parler. Quand j'étais môme, j'ai très souvent prié pour qu'il y ait quelqu'un qui comprenne ce que je ressentais, pour que je me sente moins seule dans mon truc. Aujourd'hui, il y a peut-être une gamine ou un gamin qui m'entend quelque part. Ça peut aider quelqu'un qui en est même plus loin dans son parcours et qui se dit: «Je ne suis pas con, je ne suis pas tout seul!» C'est vrai que ce sont des expériences dures à vivre et on ne s'en sort pas en claquant des doigts. Après, il y a un sacré travail psychologique à faire. Pour les gens qui se retournent un peu sur eux-mêmes, qui réfléchissent, il y a un travail à faire et ce n'est pas simple. Il faut du courage. Je veux juste donner un peu de force à ceux qui sont dans ce travail-là. J'ai plein de choses à dire. C'est tellement simple de donner une belle vie à des mômes, mais c'est aussi tellement simple de briser des vies. Je voudrais aussi qu'il y ait des entraîneurs qui m'entendent et qui aient envie de faire leur boulot. Bien.

Q : En tout cas, nous on sait que rue de la Paix, il y a une championne à Annecy. Merci d'avoir témoigné aussi franchement et généreusement.
R : Merci à vous d'avoir eu cette patience. Je dis ce que je peux. Ce n'est pas forcément phénoménal, mais c'est ce que j'ai ressenti. Puis bonne chance à tous les compétiteurs, parce que la compétition, j'y crois encore. Je crois que c'est un beau parcours. Juste un détail qui ne s'insère pas en mot de la fin, pas du tout et que j'aurais pu dire avant. Mais bon, j'ai surtout voulu insister sur le sport comme produit dopant de première qualité. Pas sur le dopage. Moi, je n'ai pas une expérience de dopage très conséquente dans ce domaine. J'en ai une autre, mais concernant le dopage même. On s'intéresse tout le temps aux trois premiers athlètes des courses. À ceux qui ont réussi, mais c'est pas ceux-là qu'il faut voir. Ceux-là s'ils ont réussi, même s'ils sont dopés, quand ils arrêtent ils ont des sous pour s'en sortir, pour continuer à prendre de la coke ou pour avoir la motivation de rester sur le devant de la scène. Cette première dépendance qu'il y a à vouloir être le meilleur, eux, ils peuvent la conserver et donc ils peuvent vivre. Mais combien restent sur le carreau? Ceux qui n'ont pas réussi, c'est ceux-là qui tombent. Les autres, on le sait malheureusement quand ils meurent d'une crise cardiaque à 30 ans, et là on se dit qu'il y avait peut-être un problème, mais sinon des problèmes mentaux, ils n'en ont pas des tonnes. Ils ont peut-être pris des trucs illicites, mais dans leur tête ç'a valu la peine. Ils ont eu quelque chose au bout; les autres ils n'ont rien. Ils n'ont que

leurs yeux pour pleurer, comme on dit. Donc pourquoi ne s'inté-resser qu'aux trois premiers. Il n'y a pas que ceux qui gagnent qui sont dopés, et pas que ceux qui gagnent qui sont dopés au sport.

En sortant du petit appartement de la rue de la Paix à Annecy, j'essayais de faire le tri de mes sentiments. J'ai l'émotion d'une rencontre exceptionnelle, mais je garde aussi celle d'une femme qui a encore besoin d'aide. Brigitte commence à peine à prendre conscience des dégâts. L'état des lieux est fait, mais la remise en ordre de la maison est encore loin. Dans un bilan que peu de spécialistes du sport font, de combien de Brigitte le sport est-il responsable? La fragilité de Brigitte était palpable derrière chaque mot, derrière chaque réflexion. Ce qui pouvait à ses yeux paraître pour une faiblesse, la championne l'a rapidement transformé en atout. S'en sortira-t-elle? En ouvrant la porte, Brigitte m'a remercié de ce moment qui pour elle était important. Elle m'a rappelé combien il était primordial que son message soit diffusé. Ensuite, elle s'est vite rappelé la réalité: «Ah merde c'est vrai, je dois encore déboucher les toilettes!»

La vie continue!

Le témoignage du Dr William Lowenstein

« *Non-assistance à sportifs en danger.* »

C'est dans la clinique Montevideo à Boulogne-Billancourt que j'ai rencontré le Dr William Lowenstein. En plus d'avoir créé cette clinique en 2002, il est aussi membre de la commission Prospectives et Dopages, du Conseil de prévention de lutte contre le dopage. La clinique Montevideo est une sorte de havre pour les rescapés de la vie. Tapie dans l'ombre du Parc des Princes, le célèbre stade parisien, la clinique vit chaque jour au rythme des grands et petits drames de ces acteurs que la vie a pris un malin plaisir à détruire. Les princes de la nuit se mélangent avec les princes des stades. Tous ont un point commun : la dépendance toxicomaniaque. L'ambiance de la clinique est détendue, presque familiale. On se croirait dans un centre récréatif. Mais quand on regarde de plus près les visages des personnes dans le hall d'attente, on entendrait presque le cri de désespoir mêlé à celui de l'appel d'une ultime aide avant l'irréparable. La clinique n'accueille que 23 personnes, toutes dépendantes soit à l'alcool, à la cocaïne, à l'héroïne… Tous les âges sont représentés. « Malheureusement, on a des "clients" de plus en plus jeunes » déplore le Dr Lowenstein.

Entre deux rendez-vous, le médecin me reçoit, non sans me prévenir que l'entrevue sera peut-être interrompue par des urgences inévitables.

C'est de façon complètement accidentelle que le spécialiste des drogues découvrira qu'une grosse partie de sa clientèle, et de bien d'autres centres de désintoxication, sont des athlètes ayant pratiqué un sport à un degré intensif.

« J'étais en rendez-vous avec un patient et nous parlions sport, car il avait vu *L'Équipe* (quotidien sportif) traîner sur mon bureau. Cet ancien champion de France de natation me racontait son parcours et, pour la première fois, j'ai entendu la brutalité de la vie face à laquelle il s'était retrouvé après une non-sélection. Tous ses copains partaient pour Sydney (Jeux olympiques de 2000) et lui, il restait seul sans trop comprendre. Quelques semaines auront été suffisantes pour qu'il sombre dans l'héroïne. Plus je l'écoutais et plus je trouvais terrible cette blessure de la non-sélection. Finalement, il a encaissé un abandon, un désintérêt, une vie qui continuait ailleurs sans lui, la déception de ses parents, et l'immobilisation qui était la sienne. Il ne faisait plus des kilomètres et des kilomètres dans l'eau, chaque jour, avec des sons familiers... Il se retrouvait en position verticale, d'*Homo sapiens* avec des bruits nouveaux, des relations humaines totalement différentes de celles des années précédentes... Plus j'entendais ça et plus je voyais l'importance de cette faille. Je lui ai donc demandé de préciser ce qui s'était passé, pour savoir s'il connaissait d'autres patients. Aussitôt, il m'a dit: "Écoute, c'est pas autour de moi. C'est autour de toi. Dans l'endroit où tu exerces. Tu as untel et untel et untel qui a fait du sport à un tel niveau..."

« Je me suis rendu compte que nulle part on demandait si, depuis le jeune âge, le patient avait fait du sport et si oui à quel niveau. On pouvait avoir la tentation de psychanalyser et de remonter jusqu'à l'arrière-grand-mère, mais on oubliait de demander si quelqu'un avait pratiqué une activité physique de l'âge de six ans jusqu'à dix-huit ans! »

Le Dr Lowenstein commande donc un premier sondage et fait rapidement l'incroyable constat que sur 100 patients qui viennent pour un traitement de substitution pour leur dépendance à l'héroïne, 20 pouvaient être classés comme sportif intensif prolongé. Cette surprenante découverte pousse le spécialiste à approfondir l'enquête et le questionnement au niveau national. Avec l'aide des autorités ministérielles, plus de 1 000 personnes sont questionnées, et là encore des chiffres alarmants viennent corroborer le premier sondage. À chaque fois, les même facteurs:

la non-sélection, le traumatisme, l'immobilisation de ces êtres hyperactifs, le retour à une vie qui peut paraître banale sont les problèmes soulevés. C'est là que le spécialiste et ses collègues se demanderont s'il n'y a pas un point d'intersection entre les caractéristiques des champions, ceux qui pratiquent énormément de sport et les personnes toxico-dépendantes. Nouveauté, dépassement, souffrances, mais aussi récompenses sont autant de facteurs communs aux deux groupes. Ainsi, les qualités d'un champion mais aussi ses faiblesses se retrouvent dans le phénomène de la dépendance.

Mais les similitudes comportementales entre les deux groupes ne s'arrêtent pas là. Le Dr Lowenstein questionne le plan biologique et celui des rituels du sportif de haut niveau. Par exemple, l'hydratation de l'athlète. Toute la journée, le sportif s'occupe à s'hydrater, à boire, à stimuler sa déglutition. Des patients devenus alcooliques lui ont souvent parlé de leur dépendance à la déglutition. Les sportifs de haut niveau qui ne buvaient plus 20-30 fois dans la journée comme ils devaient le faire quand ils s'entraînaient tout jeunes ou adolescents étaient complètement perdus, ils ne savaient plus comment vivre. Le premier manque était alors décelé.

Après, il y a tout ce qui se passe en terme d'émotions, de résistance à la souffrance et qui concerne les circuits de l'adrénaline et de la dopamine. Quand l'activité s'arrête, le spécialiste a souvent observé des syndromes du sevrage avec des difficultés relatives au sommeil, des difficultés relationnelles, de l'irritabilité, des douleurs physiques… « Un vrai sevrage de l'activité intensive que tous les grands sportifs connaissent bien. Les difficultés relatives au sommeil sont telles que certains sportifs disent être obligés de se casser (prendre des tranquillisants, des somnifères…) pour pouvoir dormir. » Le Dr Lowenstein ajoute immédiatement qu'il a constaté les même caractéristiques de vulnérabilité, tant chez le sportif que chez le toxicomane.

« Ça peut être des vulnérabilités porteuses. La prise de risques, par exemple. La plupart des champions sont des conquérants de l'extrême. Si vous vous mettez du côté exploit, c'est merveilleux, mais si vous vous mettez du côté prévention, vous vous demandez si c'est bien raisonnable de sauter 6 m 12 à la perche ou éventuellement de tenter tel exploit aux dépens de sa vie. Parfois on parlera d'exploit, parfois d'inconscience, qu'on soit alpiniste ou navigateur solitaire. »

Le docteur ira plus loin dans ses réflexions sur les rituels, allant même jusqu'à parler de l'odeur particulière des vestiaires sportifs. « À ma connaissance, à part l'hôpital ou un bloc opératoire, il n'y a pas d'autre endroit qui sente autant la pharmacie qu'un vestiaire de football ou de hockey. C'est donc très jeune que vous voyez finalement tout le monde utiliser ne serait-ce que des pommades pour réchauffer les muscles ou pour renforcer un petit peu les articulations ou les dérouiller avant les exercices... L'odeur mêlée à la normalité du geste restera imprégnée dans la mémoire. »

Maintenir le rituel, voilà aussi l'une des similitudes découvertes par le Dr Lowenstein. Avoir la maîtrise de son destin immédiat fait partie de la vie quotidienne de l'athlète, comme de celle du toxicomane. Les superstitions seront légion et se transformeront par des gestes inusités, mais souvent aussi par la prise de médicaments. Quand la victoire, ou le beau jeu, est directement associée aux pilules ou aux piqûres, le rituel s'installe lentement mais sûrement.

Malgré toutes ces similitudes, jamais le sportif intensif ne reconnaîtra sa toxicomanie. Le pire, selon le Dr Lowenstein, est que les fédérations sportives elles-mêmes sont complices d'une espèce d'omerta, en refusant de reconnaître l'existence du phénomène et de le verbaliser. Le terme « toxicomanie » est littéralement banni de leur vocabulaire.

« D'accuser d'incendiaire celui qui crie au feu et qui prévient du risque d'incendie est souvent la règle, le premier réflexe. On ne tire pas sur l'ambulancier, mais on tire sur le mauvais prophète. Et là en plus, c'est un mauvais prophète briseur de rêves et de spectacles. Ramener l'athlète au rang de gladiateur, c'est insupportable. Quand vous allez voir une pièce de théâtre ou un concert, vous n'avez pas toujours envie d'aller voir la noirceur ou la poussière des coulisses. Il est difficile de maintenir les valeurs sportives, notamment celle du rêve, et de tenir compte de la force économique du phénomène sportif dans le monde entier. On ne peut associer de grandes marques d'équipementiers au dopage. Donc parler un peu de santé dans tout cela, c'est gâcher éventuellement des grandes aspirations et des grandes rêveries ou être même gêneur pour ceux qui survivent dans ce milieu.

La lutte contre le dopage s'est enfermée, depuis le passage au professionnalisme du sport dans une lutte contre la tricherie. La réflexion doit être plus vaste. La bataille contre le professionnalisme a été perdue. Je pense que celle contre le dopage sera perdue, tant et aussi longtemps que nous nous limiterons à cette approche répressive. Tous les facteurs de pression sont réunis à l'heure actuelle pour que les sportifs intensifs soient comme les hommes de notre société, c'est-à-dire qu'ils essaient d'être plus performants et de soulager leurs souffrances en utilisant ce que la société de consommation et la société pharmacologique mettent à leur disposition. Le sportif doit faire face au même harcèlement de consommation que nous tous.

Devant ce constat, le Dr Lowenstein se sent quelque peu impuissant, mais aussi incroyable que cela puise paraître, le spécialiste ressent une certaine complicité.

« Je regarde le spectacle sportif avec les mêmes émotions d'enfant, avec les mêmes rêves, avec la même incrédulité par rapport à la somme des exploits, avec la même admiration devant la qualité du spectacle et du suspens sportif. Je le regarde également avec encore un peu plus de respect, maintenant que je sais à quoi sont assujettis les sportifs et combien ils risquent de le payer. Je me demande parfois à quel point je suis complice d'une société qui est capable d'interdire la confection de ballons par des enfants au Pakistan et, en même temps, de refuser d'admettre l'existence des dérives du dopage. Mais je pense que des solutions existent. C'est le message que j'essaie de passer à la clinique Montevideo, à propos de la dangerosité de la pratique sportive intensive chez certaines personnes. Je pense que la pratique sportive moderne est à risque. Comment améliorer la prévention, comment améliorer l'authenticité des données et comment augmenter les stratégies de réduction des risques sont les questions immédiates que l'on doit se poser. S'il n'est pas possible pour certains de ne pas consommer de produits dopants, comment peut-on faire pour qu'ils ne payent pas trop cher ? C'est la même question que nous avons concernant l'héroïnomanie. Ce n'est pas parce qu'une personne consomme de l'héroïne qu'elle doit le payer par sa mort. Les questions que je me pose aujourd'hui devant un spectacle extraordinaire est quel prix injuste devra être payé, et si nous ne sommes pas responsables de non-assistance à sportifs en danger. »

L'entrevue se termine avec cette phrase lourde de sens pour le praticien qui essaie quotidiennement de trouver les clés pour sortir ces personnes de leur tunnel de dépendance.

Le témoignage de Jacques (prénom fictif)

« Après trois matchs par semaine, je courais encore comme un lapin. Jamais fatigué, jamais au repos, jamais tranquille. »

Dans un autre bureau m'attendaient calmement Jacques et Patrick. Deux champions qui ont tenu à me livrer leur expérience et leur réflexion. Deux athlètes tombés dans l'enfer de la cocaïne puis de l'héroïne et dont nous tairons l'identité.

Jacques a été joueur de soccer dans une grande équipe de deuxième division française. Dès l'âge de 6 ans, il chausse les crampons. À 13 ans, il est repéré par un grand club et démarre une formation professionnelle. Stagiaire pro, comme on les appelle là-bas. La cadence est infernale. Entraînement et cours le matin, entraînement l'après-midi, cours le soir et deux matchs par semaine. À 22 ans, c'est l'entrée dans le grand club. Peu de temps après, il devient un leader et le brassard de capitaine s'impose rapidement. En milieu de terrain, c'est lui le directeur du jeu. Estimé par ses camarades de jeu, adulé par le public, Jacques évolue dans ce milieu comme un passionné, jamais il n'a le sentiment de travailler. « C'était un jeu pour moi, rien qu'un jeu. Je jouais. Je jouais tous les jours. »

Puis, la pression commence à se faire sentir. On lui demande de plus en plus de résultats, il ressent l'obligation de réussir. « Fallait toujours être au maximum, si tu voulais garder ta place de titulaire dans l'équipe. »

Le quotidien de Jacques passera brusquement du rêve au cauchemar. Une entorse soignée à coups d'infiltration de cortisone, des prescriptions à répétition pour le moindre bobo et, bien sûr, le médecin omniprésent qui contrôle la situation pour le retour le plus rapide possible du joueur blessé. L'engrenage commence. La spirale infernale se met en route. « Ça commence le jour où tu te dis que si tu n'en prends pas, tu ne seras plus au même niveau. Alors tu en prends. Tu mélanges, jusqu'à plus soif. Ça passe ou ça casse ! »

Jacques a une confiance aveugle en son médecin. Un médecin qu'il connaît depuis ses débuts, un médecin qui ne peut pas le trahir. Donc, tout ce qu'il lui donne doit nécessairement être bon pour lui.

« On ne se posait pas de question. On ne se demandait pas si c'était bien ou pas bien, on le prenait et c'est tout. J'avais une entorse, le match était dans trois jours, il fallait que je joue coûte que coûte. »

Le corps de Jacques réagira vite à l'accumulation de toute cette pharmacopée. Il ne ressent plus la fatigue. Les entraînements ne sont plus suffisants. La dépense d'énergie ne se fait pas, le trop-plein qu'il ne sait pas comment évacuer, Jacques commence à avoir des doutes.

« Je ne trouvais plus cela normal. Jamais fatigué, jamais au repos, jamais tranquille ! À partir du moment où vous ne vous posez pas de question, ça vous vient pas à l'esprit. À cette époque-là, personne ne vous parle de dopage, personne ne vous dit les conséquences, les aboutissants de ce qu'on vous donne. Donc vous ne posez pas de question. Vous êtes dans le rythme. »

Le cocktail médicamenteux tranquillement, mais sournoisement, fait son œuvre. En deux ans, il subit des blessures à répétition. Psychologiquement, il ne sait plus pourquoi il fait tout cela. « C'était l'usure. Une usure de tout ! »

Contre-performances, irritabilité, conflits permanents avec l'encadrement sportif, Jacques commence à craquer. Du jour au lendemain, il quitte le club. Plus de soccer. Terminé !

« J'ai tout jeté, j'ai tout arrêté ! »

Six mois passent. Jacques commence à sortir, à faire tout ce qu'il n'a pu faire avant. Il découvre d'autres produits, ceux de la nuit. Le physique de Jacques se dégrade au rythme de son psychologique.

« J'ai pas su identifier le lien entre l'arrêt de mon activité et ce besoin, cette envie de produits, de médication. J'étais mal sans savoir pourquoi j'étais mal. Et donc voilà, j'ai tout essayé. J'ai essayé à peu près tout ce qui traînait sur le marché, pour tenter de retrouver ces sensations et me soulager physiquement. »

Jacques avoue, chose rare, qu'il est à ce moment-là en manque ! Avec la cocaïne, l'héroïne, Jacques retrouve les beaux moments, les sensations agréables qu'il a connues comme sportif. Il soulage autant son corps que son âme. Toutes ses économies depuis l'âge de 13 ans y passent. Il faudra 15 longues années à Jacques pour sortir de l'enfer du « trou noir » comme il dit.

Aujourd'hui, il en veut à ce médecin qui a commencé à lui prescrire des produits. « C'est dégueulasse. Quand on a à s'occuper des jeunes, qu'on a la responsabilité de ces enfants, on a pas le droit de jouer avec leur vie. Des fois, j'aimerais penser que c'est pas partout pareil. J'espère qu'aujourd'hui les jeunes ont des clignotants qui s'allument. Moi, à mon époque, il y avait rien qui s'allumait. C'était tabou. Il ne fallait surtout pas y penser. Le sport de haut niveau, c'est tout sauf la santé. »

Jacques travaille maintenant à la clinique Montevideo. Il utilise ce qu'il connaît le mieux pour que les toxicomanes reprennent goût aux choses simples du quotidien, le sport. Mais plus question de compétition, plus besoin d'artifices ou de déviances. L'enjeu ici, c'est le retour à la vie.

Le témoignage de Patrick (prénom fictif)

**« *Finalement on est comme des seringues…*
des produits jetables ! »**

Patrick a été un spectateur très attentif durant l'entrevue avec Jacques. Lui aussi est un rescapé. Son parcours, c'est dans un sport individuel qu'il l'a vécu. À 10 ans, il entre dans son premier club de tennis. Très vite, on découvrira son talent qui ne demande qu'à être exploité. À 15 ans, il dévore ses adversaires et grimpe dans les classements. Les tournois s'accumulent, les enjeux augmentent et Patrick abandonnera les cours qu'il suivait en parallèle. Seulement, au lieu de se consacrer entièrement à son sport, comme tout adolescent, il cédera aux tentations, pas forcément compatibles avec le sport de haut niveau. Son quotidien sera fait de tennis le jour, de boîtes de nuit et de filles le soir. Très vite, il goûtera aux produits illicites tout en gardant un bon niveau. Et l'engrenage se mettra en branle.

« Moi, personne ne m'a forcé. Il fallait très vite que j'en prenne pour garder le niveau. Grâce à ce produit, j'arrivais à garder un excellent niveau sur une période d'environ une heure. Ce produit c'était la cocaïne. La cocaïne est un produit extrêmement dangereux, car vous avez un sentiment d'invulnérabilité sur un court laps de temps. Mais la descente est encore plus rapide. »

La cocaïne était devenue indispensable pour Patrick qui, malgré tout, enchaînait les victoires jusqu'à se rendre parmi les meilleurs joueurs de tennis français. Mais la drogue, sans cesse, le rattrapait.

« À partir du moment où je prenais un petit peu de cocaïne, du Guronzan (un stimulant à base de caféine concentrée) et d'autres stimulants, j'étais au top de ma forme. Mais quand les produits commençaient à perdre de leur effet, la descente était d'autant plus rapide. Je devenais donc complètement dépendant de ces produits. »

Patrick continue donc à battre ses adversaires alors qu'il est sous l'emprise de stimulants, jusqu'au jour…

« Au début, on gagne, mais on s'aperçoit qu'il faut quelque chose pour redescendre. C'est là où est toute la problématique, soit on tient soit on tient pas. Moi j'ai tenu pendant quelque temps. Après, il a bien fallu prendre d'autres produits. Ç'a été l'héroïne progressivement. Mais le niveau baissait automatiquement. »

Patrick est pris rapidement dans l'engrenage. Il ne peut plus se passer de ces produits pour jouer.

« Avec la cocaïne, vous allez gagner un premier set très facilement, mais l'effet s'estompe rapidement. »

Fabulateur, manipulateur, le mensonge est érigé en règle par Patrick qui voit son avenir s'assombrir. Mais est-il le seul à jouer d'artifices dans ce monde du tennis, si immaculé ?

« La plupart des sports sont aux prises avec dopage. Le tennis n'y échappe pas. Les joueurs dopés ne sont pas nécessairement des tricheurs. Les Sud-Américains, ça fait partie de leur culture. J'ai rencontré plusieurs Argentins dont je tairai le nom, mais qui sont encore sur le circuit et qui sont fanatiques de tous les produits de récupération, de piqûres en tous genres… Ne serait-ce que leur morphologie. Ce sont des gens qui peuvent incroyablement tenir sur terre battue, qui est quand même une des surfaces les plus exigeantes. Ce sont des gens qui pratiquent le dopage à grande échelle. Les Sud-Américains, les Espagnols… Quant à Agassi qui se défend de tout cela et qui a 34 ans aujourd'hui, pour tenir comme il tient… *(long silence)* Voilà quoi, c'est écrit, c'est quelqu'un qui prend des produits de récupération. »

Patrick n'hésite donc pas à dénoncer un dopage généralisé dans le tennis professionnel avec pour seule preuve son expérience vécue et quelques décès qui semblent lui donner raison.

« Un grand sportif des années 1980, qui a fait une finale à Roland-Garros, est aujourd'hui décédé. Je peux vous dire son nom : il s'appelait Vitas Gerulaitis. Il consommait de la cocaïne et cela n'a pas été caché du tout. Il jouait ses matchs sous l'emprise de la coke et c'était de notoriété publique. Vous savez, sous une serviette, il peut se passer beaucoup de chose. La triche ? On n'y pense pas. On est dans une autre dimension. On ne pense pas à tout ça. On pense à gagner, à avoir des résultats.»

Les sportifs, des gens malades ?

«Je pense qu'il y a un grand vide psychologique pour la plupart des sportifs. Ils devraient être suivis. Il n'y a rien qui est fait aujourd'hui pour les sportifs. C'est un vrai désert. Tout est à construire pour réussir à passer au travers. Finalement, on est comme des seringues… des produits jetables.»

Comme Jacques, Patrick a trouvé la paix et travaille aujourd'hui à la clinique Montevideo. Les deux hommes ont été d'une rare franchise dans leur témoignage. À la question «Si c'était à refaire, que changeriez-vous ?», les deux hommes ont répondu qu'ils laisseraient leur vie à l'entrée de l'infernal tunnel.

Le dopage qui tue

Entretien avec Jean-Paul Escande

« Je pense que ça fera des ravages. Mais pas plus que la syphilis au XIXe siècle qui n'a pas fait fermer les bordels. Je ne pense pas que le dopage fera péricliter le sport. »

Le 26 juin 2003, le joueur de soccer camerounais Marc Vivian Foé s'effondre lors d'un match qui oppose son équipe à la Turquie, devant les caméras du monde entier. En janvier 2004, l'attaquant hongrois du club Benfica de Lisbonne, Miklós Fehér, connaît la même fin tragique. L'un avait 28 ans, l'autre 24 !

Quelques semaines plus tard, le joueur de basket de Lettonie, Raimond Jumikis, s'écroule sur les parquets suédois de Stockholm en pleine rencontre. Il n'avait que 23 ans. « Morts naturelles » concluent les experts médicaux sportifs.

En Amérique du Nord, les cas de mort subite dans le sport peuvent aussi être anecdotiques, mais tout de même. Dans le monde de la lutte professionnelle, en février 2003, Curt Hennig meurt à 44 ans d'une intoxication d'un détonant mélange de stéroïdes et d'antidouleur. Louie « Spicolli » Mucciolo décède à l'âge de 27 ans de problèmes coronariens. Les enquêteurs trouveront un flacon contenant des hormones à son chevet. À 39 ans, c'est au tour de Davey Boy Smith de rejoindre ses compagnons d'infortune. Malaise cardiaque. Richard Rood mourra à la suite d'un « étrange mélange de médicaments ». Les effets pervers des produits dopants peuvent aller jusqu'au suicide de leurs utilisateurs, comme c'est le cas du jeune joueur de baseball Taylor Hooton, retrouvé pendu après une phase dépressive attribuable à la cessation de prises d'anabolisants.

Dans le monde du soccer italien, l'enquête menée par le juge Raffaele Guariniello est affligeante! Poussé par une succession de femmes de joueurs de soccer devenues veuves et qui demandent des explications, le juge italien diligentera une enquête épidémiologique sur les joueurs de soccer italiens qui ont évolué dans les championnats entre 1960 et 1996. Durant deux ans, les enquêteurs ramassent les témoignages, les procès-verbaux, les résultats d'autopsie… En 2002, les constatations sont renversantes. On décèle chez les joueurs de soccer un nombre anormalement élevé d'une maladie rarissime, la sclérose latérale amyotrophique appelée, en Amérique du Nord, la maladie de Lou Gherig, du nom du célèbre joueur de baseball qui en est mort. De plus, le nombre de tumeurs de l'appareil digestif (côlon-pancréas-foie) est environ deux fois supérieur à la moyenne.

Quand je l'ai rencontré au Palais de justice de Turin, le magistrat italien n'hésitait pas à parler de maladies professionnelles attribuables à des prises de substances dopantes. Sa victoire dans le procès intenté contre le célèbre club de la Juventus de Turin, qui avait transformé ses vestiaires en véritable pharmacie, semble lui donner raison. Voici les conclusions que m'a exposées le juge Guariniello quand je l'ai rencontré à Turin : « L'étude a porté sur 24 000 joueurs de soccer entre 1960 et 1996. Nous avons découvert que le taux de victimes du cancer est le double par rapport à la population normale : 13 cas de tumeur du côlon, 10 au pancréas et 9 au foie. La moyenne dans la population normale étant de 5 à 6 cas!

« En ce qui concerne la rarissime maladie de Lou Gherig, nous nous attendions à en trouver un seul cas au maximum, car la probabilité dans la population normale est de 0,61 %. Au lieu de cela, nous avons répertorié 45 joueurs atteints de la maladie… dont 45 sont décédés! »

L'affaire a fait grand bruit en Italie, car l'un des grands joueurs du soccer italien, Gianluca Signorini, grande vedette des années 1980 et père de quatre enfants, se mourait de la maladie de Lou Gherig. Au début d'un match amical à Gênes, sa fille Benedetta a lu une déclaration de son père devant 30 000 spectateurs. « Je voudrais me lever et courir avec vous. Mais je ne peux pas. Je voudrais hurler avec vous, *tifosi*, des chants de gloire. Mais je ne peux pas. Je voudrais que tout cela ne soit qu'un rêve duquel je puisse me réveiller heureux. Mais cela n'en est pas un. »

Dès lors, celui qui avait fait les grandes heures du club de Parme, de Gènes, puis de l'AS Roma ne parlait plus. C'est l'ordinateur qui remplaçait la parole du joueur déjà atteint de l'irrémédiable paralysie cérébrale. Quand on l'a poussé au centre du terrain pour une mise au jeu symbolique, le héros de toute une époque pleurait !

La recherche du juge Guariniello n'est malheureusement pas circonscrite au soccer italien. De l'autre côté de l'océan, le chercheur Hiroshi Mitsumoto de l'Université Columbia à New York révèle que trois décès ont été constatés dans l'équipe de football des 49ers de San Francisco. Le chercheur américain s'intéresse aux liens entre ces morts et certains produits médicamenteux pris par les athlètes pour revenir plus rapidement au jeu. Le Dr Cruz de l'Université de Stanford écrit dans la revue *Neuroepidemiology* que les différents traumatismes subis dans le sport pourraient être un facteur de risque pour contracter la maladie. Le Dr Donald Sienko de l'Université du Wisconsin a été plus loin dans la revue *Archives of Neurology* en affirmant que les traumatismes auraient un rôle direct dans le développement de la maladie. Le journaliste Marco Strambi du *Corriere medico* de Milan, que j'ai contacté, m'a dit qu'il s'est entretenu avec de nombreux médecins sportifs rattachés aux équipes de soccer italien. Il a constaté cette loi du silence qui dressait un mur devant ses questions. Il m'a confessé : « J'ai parlé à un joueur de renom qui a été blessé et qui a refusé le médicament qu'on lui proposait pour revenir plus rapidement au jeu. Il a refusé en justifiant son choix par le fait qu'il ne voulait prendre aucun risque. »

Depuis l'enquête du juge Guariniello, les procédures vont bon train. Le prestigieux club de la Juventus de Turin a vu certains de ses dirigeants médicaux inculpés de trafic de produits dopants et de pratiques illicites de la médecine. En ce qui concerne les joueurs atteints de la maladie de Lou Gherig, une association des « veuves du Calcio » s'est mise en place. Certains diront qu'il est facile de relier systématiquement tout décès dans le monde du sport à l'usage de produits dopants. Le professeur Jean-Paul Escande, lui, ne fait pas dans la nuance. Cette sommité du monde médical, et en particulier de la lutte contre le dopage dans le sport, s'est insurgé contre l'hypocrisie des autorités sportives, quelque soit leur niveau de compétences.

L'hôpital Tarnier, derrière le Jardin du Luxembourg à Paris, est la demeure du professeur Jean-Paul Escande. Ce spécialiste mondial de la lutte contre le sida est devenu malgré lui le président de la Commission nationale de lutte contre le dopage. Durant six ans, il s'est évertué à expliquer que le dopage sportif est un problème crucial de santé publique et que les gouvernements doivent réagir. Selon le professeur Escande, les manipulations génétiques n'ont pas encore lieu, mais les apprentis sorciers, eux, existent bel et bien. Le professeur n'hésite pas à citer Faust et la faiblesse humaine qui incite à signer un pacte avec le diable. D'après le chercheur français, on assistera à de plus en plus de morts en direct.

C'est dans la mansarde qui lui est réservée à l'hôpital que je l'ai rencontré. Observé par des toiles de maîtres représentant les plus grands médecins de l'histoire, le professeur Escande s'est confié.

Q : Professeur, d'abord peut-être nous préciser, parce que ce n'était pas au départ votre premier pôle d'intérêt, je suppose, pourquoi cet intérêt pour le dopage, l'intervention et surtout votre implication qui est tout de même assez énorme.
R : Oh, il faut faire du Marcel Proust là ! Je suis né à Brive, une ville de Corrèze. J'ai toujours aimé faire et regarder du sport. Première chose, la passion. J'aime les résultats sportifs autant que j'aimais faire du sport. Je dis « aimais », parce que j'ai une jambe qui est un peu fatiguée. Deuxième chose, j'ai aimé plus que tout au monde la médecine et la biologie. La médecine de terrain et la biologie la plus théorique. Et dernier point, la vie sociale est quelque chose qui m'a toujours plu et dans laquelle je me suis complu. Alors pour comprendre la sociologie d'une époque, la biologie des individus en aimant le sport, le jour où l'on m'a proposé la présidence de la Commission nationale de lutte contre le dopage,

j'ai été extrêmement content. Et j'y suis resté longtemps. Comme je n'arrive pas à m'impliquer politiquement pour un bord ou un autre et que je trouve qu'il y a des gens intelligents et des imbéciles des deux côtés, je préfère fréquenter des gens intelligents même s'ils sont d'un côté avec lequel je ne suis pas tout à fait d'accord, plutôt que de voir les imbéciles et les intelligents d'un seul côté. Je suis donc resté sous la gauche comme la droite. J'ai eu pour ministres Roger Bambuck grand athlète, Michèle Alliot-Marie, qui s'occupe maintenant de nos armées et que j'avais connue dans la lutte contre le sida, et puis je suis resté avec Marie-Georges Buffet. Donc, si vous voulez, j'ai fait tout l'éventail. J'ai eu Guy Drut, champion olympique à Montréal mais avec lequel je ne me suis pas bien entendu.

Donc, voilà pourquoi je me suis occupé de cela. Ça vous donne aussi tout de suite la ligne que j'ai prise. La lutte contre le dopage ce n'est pas l'affaire d'un appareil qui regarde dans des urines. Ce sont des corps d'athlètes qui doivent être suivis médicalement. Corps comprenant aussi le cerveau et le psychisme. Donc, depuis maintenant 14 ans, je suis sur cette ligne. Et je suis désolé, il n'y a pas d'exception sportive. Lorsqu'on donne des médicaments à un sportif, on reste dans le cadre des lois nationales, européennes et internationales. Or, à l'heure actuelle, vous avez une situation tout à fait bizarre. On a l'impression que dans le domaine du sport, le contrôle médical n'a pas à s'exercer. Je vous donne un exemple très concret. Un journaliste communiste de *L'Humanité*, très bon journaliste, me demandait il y a quelque temps : « Si vous étiez ministre des Sports, qu'est-ce que vous feriez ? » Je vais vous le dire tout de suite. Je prendrais mon téléphone et je dirais au ministre de la Santé : « Mais qu'est-ce que tu fous ? » On ne peut pas demander à un ministre des Sports de régler ce qui est aussi un problème de santé publique. Et mon copain Kouchner, qui ne m'a pas trop trop soutenu lorsqu'il était mon ministre, maintenant m'invite à donner des cours. On est restés très bons amis, et il me donne raison, c'est bien une affaire de santé publique. Je crois qu'il y a eu une prise de conscience. Finalement, on n'a pas vu, il y a 15 ans, le dopage changer de dimension. On n'a pas vu qu'on était passé d'une forme d'artisanat du dopage à une industrie du dopage. En même temps que le sport passait sur le plan social d'une activité ludique à une activité hyper commerciale. Donc si vous voulez, ceci a transformé les choses. Moi, j'ai toujours vu, aimé voir plutôt, ce qui se passe réellement, et c'était évident. Hier soir, je dînais avec mon copain Wolinski et Bernard Maris, un très bon économiste français, et ils m'ont dit: «Tu nous disais il y a quatre ans "on attend les morts".» J'étais sûr que ça allait venir. C'était pas possible autrement. On est à ce stade-là, mais bon voilà je vous ai fait un résumé. Je trempe là-dedans parce que je trouve que c'est merveilleux et que c'est très important. Je ne suis pas un shérif qui veut régler le compte des sportifs. Je dis: «Écoutez je suis médecin, j'aime le sport, j'aime les sportifs et je ne veux pas qu'on les tue pour que le spectacle soit beau.» Je ne veux pas d'autre part, étant un fonctionnaire responsable et suivant les lois de son pays, qu'on ridiculise les lois sur l'expérimentation humaine. À l'heure actuelle, nous sommes en train de nous mettre mondialement, totalement hors-la-loi, et de laisser des expérimentateurs faire leurs petites expériences sur l'humain et tuer les gens.

Q: On y arrivera justement, professeur. Ceux qui ne suivraient pas de manière assidue la lutte contre le dopage pourraient dire de vous que vous êtes un petit peu à contre-courant dans le débat d'aujourd'hui sur le dopage. Ce que vous dites, c'est plutôt que de les laisser mourir, faisons de l'assistance.

R: Il y a des degrés dans l'urgence. Là, l'urgence est médicale. Ensuite, il y a le problème de l'éthique sportive, que je ne méconnais pas du tout. Mais à l'heure actuelle, nous sommes devant un problème d'urgence médicale. Vous savez, chaque époque est comme ça. Moi je fais partie des gens qu'on ne suit jamais, parce que j'analyse une situation qui met tellement de facteurs en jeu en même temps, que je sais très bien qu'on ne peut pas claquer des doigts et tout régler. Mais on arrive à un stade où il faudra faire quelque chose. Ce n'est plus possible qu'il y ait des morts en direct. L'opinion publique ne le supporterait pas. Les gens me disent «c'est formidable, vous l'aviez prévu», mais ce sont des satisfactions amères. De même on me dit que c'est formidable ce que je fais sur le dopage, mais en fait, plus je m'en occupe, plus le dopage augmente. Ce n'est pas formidable. Si vous voulez savoir, j'ai l'amère satisfaction de voir la situation s'aggraver, comme il était évident qu'elle allait s'aggraver. Quand on est biologiste comme je le suis, médecin comme je le suis et que l'on sait ce que l'on sait sur ce que prennent les gens, c'est pas possible de ne pas croire qu'il n'y aura pas des morts à la pelle. Des morts, des handicaps, des accidents lourds, des troubles psychiatriques majeurs, c'est ce que l'on constate.

Q : Justement, pour certains, ce fabuleux terrain d'expérimentations scientifiques, médicales pour le Dr Mabuse, voilà ce qu'est devenu le sport, selon vous ?

R : Oui. Mis à part qu'il n'est pas fabuleux. Il est lamentable. Certaines personnes se prennent pour des apprentis sorciers. Alors quand je dis que ce sont des cobayes que l'on fait pour avoir des médailles, je parle bien d'expérimentations humaines. Évidemment, c'est pas les nazis, faisant avec le Dr Mengele des expérimentations humaines atroces, mais ce n'est pas loin, quand même. C'est bien de l'expérimentation. On tente des protocoles médicaux pour obtenir des résultats. On cherche à améliorer les protocoles. C'est de l'expérimentation humaine. C'est régi dans tous les pays du monde par des arsenaux de lois extrêmement rigides mais là, on laisse, pour avoir des médailles, des grands guignols faire n'importe quoi. Alors je vais vous dire à quoi cela aboutit d'un point de vue social. Je vous garantis que c'est vrai. Je vois des quantités de familles très à l'aise financièrement, qui me disent : « Mon fils est très bon en natation, en athlétisme, en rugby, mais je ne vais pas le laisser continuer, parce que je n'ai pas du tout envie qu'il laisse sa santé dans le dopage. » En revanche, dans les familles qui sont beaucoup plus gênées financièrement, qui n'ont pas d'argent et dans laquelle il y a un gamin très doué, les parents disent : « Ben vous voyez, il pourrait gagner de l'argent. Mais comme les autres se dopent, c'est les autres qui auront de l'argent. » Il leur faudrait beaucoup, beaucoup de vertu pour dire : « Écoutez, on renoncera à tout cet argent possible et tant pis, vive la pureté ! » Donc, il y a une espèce de course, d'engrenage qui s'installe... Vous savez que les Français sont toujours très regardant sur l'égalité, eh bien là, on crée un décalage absolument étonnant et on laisse faire cela. C'est pas possible. On envoie ces gamins à l'abattoir.

Q : Vous parliez justement des grands guignols, des apprentis sorciers, ce sont en tout cas les renseignements que l'on peut en avoir de vos confrères. Les gens disent : « On connaît les noms, ce sont des confrères, ce sont des gens qui font le même métier que moi. » Donc, certains qui ont fait le même serment d'Hippocrate que vous se retrouvent complices ?

R : Ce sont des grands guignols, parce que ce n'est pas parce qu'on est médecin qu'on sait beaucoup de choses. Il y a très longtemps, j'ai écrit un livre qui s'appelle *Les Médecins*, qui avait été un gros succès. Je disais la phrase typique : « Puisque vous êtes médecin, vous découperez bien le canard ! », eh bien je vais vous dire, quand on est médecin on ne sait pas découper le canard. On ne sait pas découper l'humain. Il vaut mieux être chirurgien. Ce n'est pas parce qu'on est médecin qu'on est biologiste. Ce n'est pas parce qu'on est un excellent biologiste qu'on va être capable de dominer des mélanges explosifs. C'est le petit biologiste en chambre qui décide des choses, et quand bien même on me dit que monsieur Machin, prix Nobel de physiologie, a mis au point un cocktail, je dirais que c'est un assassin. Il a eu son prix Nobel pour des choses qu'il dominait, mais là il ne les domine pas. Vous comprenez ? Il ne faut pas se laisser avoir quand on dit professeur Machin. Moi, je suis professeur depuis plus de 30 ans et ça ne m'empêche pas de faire des bêtises tous les jours, vous comprenez ? Si tout d'un coup vous me dites : « Pourriez-vous me regonfler un peu parce que... » et que j'accepte, je serais ni plus ni moins qu'un charlatan, et vous un gogo. Il faut bien regarder la situation en face. Il ne faut pas se laisser avoir par aucune des apostrophes ronflantes des titres merveilleux. Les gens s'occupent d'un domaine qu'ils ne connaissent pas en faisant de l'expérimentation et se prennent pour des vedettes lorsqu'ils obtiennent de bons résultats. C'est une honte !

Q : Finalement, si on lit un petit peu entre les lignes, c'est quasiment un problème de définition, parce que selon le type de définition que l'on donne au mot « dopage », on peut ajuster un type d'intervention.

R : Du point de vue de la loi française, c'est extrêmement simple. Nous vivons dans un État de droit. Donc, la loi définit avec une exceptionnelle précision ce qu'est le dopage et qui sont les dopés. D'abord le dopage ne touche que les sportifs, donc les textes antidopage sont des lois d'exception. Jamais au grand jamais on ne poursuivra un acteur, un auteur, un politicien, un étudiant, un journaliste pour dopage. Il n'y a pas de textes de loi en ce sens. Donc ne peut être dopé qu'un athlète. Maintenant, quand un athlète est-il dopé ? C'est d'une extraordinaire précision : lorsqu'il a dans ses urines une substance interdite, substance qui figure sur une liste nommément désignée, soit par une instance internationale, le Comité international olympique, soit les fédérations de chaque pays. C'est d'une précision mathématique. Or, justement, si je comprends bien le sens de votre question, le dopage ce n'est pas que ça. Je cite beaucoup Alain Ehrenberg et son ouvrage *Le Culte de la performance*. Il est évident qu'à l'heure actuelle nous sommes une société de dopés.

Une petite parenthèse à ce sujet, car c'est quelque chose sur quoi j'ai beaucoup réfléchi. J'en suis arrivé à cette conclusion, tout à fait évidente, qu'à travers toutes les époques, tous les humains ont cherché à être plus forts qu'ils ne l'étaient. Mais à l'heure actuelle, avec les progrès techniques, les avancées biologiques, nous avons explosé du point de vue médical et nous sommes passés de la médecine qui soigne à la médecine qui prévient et maintenant à la médecine du bien-être. Et ceci s'est déroulé de deux façons. Avant 50 ans, on veut plus de vie ; après 50 ans, on veut moins de morts. Et tout le monde se dope. Dans la médecine d'antan, le jeune n'avait pas besoin de se soigner, maintenant s'il est jeune, il a besoin d'être performant. Donc, on se soigne. Et ce soin des personnes bien portantes, ça s'appelle le dopage. Si l'on regarde les journaux que voit-on ? « L'économie dopée par les bons résultats de Wall Street », « Monsieur Greenspan dope l'économie », « Les vacances vous ont dopé le moral ». Donc le mot «doper» dans l'opinion publique n'est pas du tout un mot péjoratif. C'est au contraire quelque chose de bien vu. Chez les sportifs toutefois, ça devient une honte. Or ce sont les sportifs qui en ont le plus besoin. Il y a ici une de ces contradictions de nos sociétés que j'adore étudier. Tout le monde a besoin d'être plus performants, le culte de la performance est reconnu comme une nécessité. Et ceux qui en ont le plus besoin ce sont les sportifs, pourtant ceux auxquels c'est interdit ce sont encore les sportifs. Vous voyez, voilà le paradoxe. Alors mettez-vous à la place des sportifs, c'est quand même une incitation à tout contourner. À partir du moment où l'on vous dit que vous n'êtes dopé selon la loi que si vous avez une substance interdite dans les urines, eh bien vous vous débrouillez pour ne pas avoir cette substance interdite dans votre urine. Et vous n'êtes pas dopé. Un type qui a pris 25 kg en trois mois, qui a changé de morphologie, de comportement, qui devient agressif, et de qui vous dites : «Il est dopé ce monsieur», on vous réplique : «Mais monsieur, diffamation. Il n'a rien dans les urines.» Vous voyez à quel point ridicule nous sommes arrivés. C'est-à-dire que l'on s'est mis dans une situation où l'on fait des démonstrations, mais où l'on ne veut surtout pas être efficace, parce que finalement ce n'est pas bien d'être efficace.

Q : Puisque l'on parle de définition, restons-y. Est-ce que le problème ne vient pas du fait que le sport veut garder sa définition d'antan avec ses vertus et sa morale ? Ce qui a l'air un peu contradictoire avec ce que l'on vit aujourd'hui, parce que, en fait, c'est la beauté du diable. On signe avec Faust, on veut garder la fontaine de Jouvence, on veut garder l'éternel. C'est ce que vous dites en fait ?

R : C'est tout à fait ça. Je relis Faust très régulièrement. Il doit y en avoir deux ou trois exemplaires ici. C'est exactement ça. Je suis entièrement d'accord avec le début de votre analyse. On a une vue mythique du facteur de santé, du sport. L'essentiel n'est pas de vaincre, mais de participer. On est encore dans toute cette poésie du XIXe siècle où de jeunes aristocrates pleins de fric se distrayaient le dimanche en faisant du sport et où perdre n'avait aucune importance. C'est ce que j'ai fait pendant 30 ans alors que, deux-trois fois par semaine, j'allais courir. J'étais content quand dans un Paris-Versailles j'étais 121ᵉ au lieu d'être 125ᵉ, ça me donnait une satisfaction énorme. Mais tout le monde s'en fichait, à commencer par moi. Si vous demandez à monsieur Murdoch, magnat de la presse, comment il conçoit le sport, c'est pas exactement ça. Pour lui, il faut que dans chaque discipline il y ait entre six et dix grosses équipes et que l'on en fasse un spectacle mondial, type NBA, les grandes équipes de hockey, etc. Il y a quelques équipes dans le monde avec les meilleurs qui sont plus chargés de faire un spectacle que de jouer vraiment… Bien sûr qu'ils jouent, mais enfin moi j'ai toujours pensé que le plus grand basketteur, Michael Jordan… Connaissant bien le rugby, je peux vous dire que quand vous vous mettez à voler comme ça, pendant trois mètres pour mettre le ballon dans un panier, et que le type vous pousse juste avec le petit doigt, ça ne marche pas. Manifeste-ment, on privilégie le spectacle. D'ailleurs c'est magnifique. C'est beau comme tout, mais bon, quand on a eu monsieur Tapie, en France dans le sport, on découvre que les résultats quelquefois… que les gens s'arrangent. Je me souviens d'un entraîneur qui disait : « Mais Tapie, vous, il vous a proposé d'arranger les matchs ? » Il l'a proposé à tout le monde. Pour lui, c'était bien. Et je vais vous dire, c'est comme régler un spectacle, vous comprenez ? Vous allez pas dire de jouer *Hamlet*, mais à la fin, dans le duel, on ne sait pas qui gagnera, vous comprenez ? Un spectacle bien réglé, c'est ça. Il y a beaucoup de compétitions où les types se tapent sur la figure et où le résultat est inattendu. Mais souvent, c'est arrangé aussi et le spectacle est devenu une chose. Mais pour le spectacle, il faut une équipe qui ne soit jamais fatiguée.

Q : Cela m'amène à vous poser la question qui est au centre de notre recherche. Comment voyez-vous ces athlètes d'aujour-d'hui ? Comme des acteurs ou des victimes de ces fameux spectacles ?
R : Je les vois comme des acteurs de spectacle et comme des gens qui ont un mérite fantastique. Vraiment, être un sportif de très haut niveau, ça réclame une vie d'efforts et de travail, qui a peu

d'équivalent dans le reste de la société. Ce sont vraiment des bosseurs et des travailleurs. Ils me sont sympathiques rien que pour cela. D'abord j'aime le sport, ensuite c'est des bosseurs, bon maintenant, ça devient forcément des coquins. J'en connais quelques-uns qui ne voulaient pas tricher. Je me demande si j'aurais été extrêmement doué dans un sport et si on m'avait dit : « Tu gardes ta pureté, mais tu es battu, et l'autre qui est moins bon que toi, il fait dans l'impureté, mais il est vainqueur… » Je ne sais pas ce que j'aurais fait. Très, très honnêtement. C'est pas tous des enfants de chœur. J'ai fait mon service militaire chez des sportifs de haut niveau, le Bataillon de Joinville. Il y en avait un certain nombre qui était des coquins et qui ont fini en prison. Ceux-là, ils auraient vendu père et mère, ce sont des menteurs et même plus. Et puis, il y en a quantité d'autres qui sont très bien. Eh bien à l'heure actuelle, on vous dit que si vous ne pesez pas 10 kg de plus – dans le foot américain c'est ça –, si vous ne pesez pas 10 kilos de plus dans 15 jours, vous êtes viré. Ce n'est pas en respirant à pleins poumons qu'on y arrive. Donc je pense que ce sont des victimes, mais des victimes consentantes. Ce sont des gens qui ont souvent un très gros appétit d'argent, parce que l'argent appelle l'argent. On est dans un cercle vicieux. Mais dans ce cercle vicieux, la collectivité médicale et scientifique se doit d'intervenir, en disant qu'on est en dehors du système de protection de l'individu, qu'on fait de l'expérimentation humaine. J'insiste, car on n'a pas encore parlé de l'essentiel, on ne sait rien sur le sujet. Tout ce que je vous dis, tout ce que vous ont dit les autres, tout ce qu'ils vous diront, ce n'est que du commentaire, des rumeurs ou des cas isolés. Il n'y a pas un seul travail sérieux dans le monde sur ce qu'est le dopage. En octobre 1981 ici, on a vu un jeune type qui avait des plaques rouges sur la figure et deux des assistantes du service de dire : « C'est pas ce dont on a entendu parler au Télé-Journal, c'est pas ça le virus des homosexuels ? » C'était ça ! C'était notre premier cas de sida. Depuis on est devenu un énorme service de sida. On a eu 850 morts ici, dont Michel Foucault (philosophe). Ça a été une aventure effroyable. Entre le moment où l'on a vu ce premier malade et que l'on a reconnu, trois ans plus tard – même si on n'y comprenait rien – le virus, on a fait un travail énorme. À la fin, on était capable de reconnaître quand quelqu'un contractait la maladie trois ou quatre jours après. Il n'avait encore rien, mais il était un peu plus fatigué, on disait : « Il est à risque, ça peut arriver ! » Eh bien en matière de dopage, on n'a jamais fait ce travail d'investigation. Maintenant, on connaît le sida du bout des doigts. On connaît tous les symptômes, toutes les manifestations. Mais sur le dopage, il n'y a eu aucun travail de fait. Et chaque fois que je le demande, on me dit : « Ah Escande, il est formidable, on ne peut pas faire ce qu'il demande, mais... » J'attire votre attention sur le fait que quelqu'un comme moi, rompu à la pratique médicale, mais surtout aux exigences de la connaissance, je dois vous dire qu'on ne rigole pas sur la connaissance... Je sens les fantômes qui sont autour de moi et qui me disent : « Dis donc sois sérieux. » Toutes les discussions sur le dopage sont des discussions de café du commerce parce qu'on commente des rumeurs.

Q : Professeur, vous faites référence à ce cas de sida en 1981, il y a eu 850 morts ensuite. Êtes-vous en train de nous dire que l'on est à peine à la pointe de l'iceberg avec les morts que l'on commence à avoir dans le sport ?

R : Ah, mais il y a aucun doute ! En matière de sida, il y a une quinzaine d'années, j'ai fait scandale, parce que j'ai dit, ce qui était une évidence, que l'épidémie était enrayée en France, et je continuais en précisant qu'en Afrique c'était un drame épouvantable. Même si je n'avais pas écrit l'article, j'assume totalement ce que j'ai dit. J'ai été frappé d'indignité nationale pendant un bout de temps. Mais pourquoi ai-je dit cela ? Je voyais bien que l'épidémie était enrayée en France, je veux dire que les nouvelles contaminations étaient maintenant limitées, on connaissait le virus, les associations antisida s'étaient montées, la prévention était en place, ça y était. Mais pour le dopage, on continue de plus belle, et donc la courbe des décès montera encore. Si l'on arrête aujourd'hui, l'affaire sera enrayée aujourd'hui, mais la courbe continuera à monter pendant encore des années. On n'a pas fini de payer. Alors, aller voir dans les centres de toxicomanie où il y a des athlètes de haut niveau, c'est quelque chose que personne n'a jamais étudié, n'a jamais voulu étudier. Trouvez-moi une statistique, en France, cette année dans les centres de toxicomanie, qui dist il y a tant d'athlètes de haut niveau. Non. Alors quand quelqu'un dit : « Aux Jeux olympiques, 10 % des podiums sont dopés », je demande : « Qui vous l'a dit ? » Pendant un moment, pas très régulièrement, j'ai donné des cours à l'École supérieure de journalisme de Lille. À la fin de la séance, les journalistes me disaient : « Si on résume, la prochaine fois que quelqu'un vous dit que pour lutter contre le dopage il faut renforcer le contrôle urinaire, vous lui éclaterez de rire à la figure. Car on n'attrape jamais personne avec le contrôle urinaire, alors ce n'est pas la peine de le renforcer. Ce sont des coups d'épée dans l'eau ou des écrans de fumée. Et la deuxième chose, quand quelqu'un vous dit ceci ou cela sur le dopage, vous lui demandez de montrer ses sources. Et il n'y en a pas ! »

Q : Je voudrais tout de même que l'on revienne sur ce parallèle que vous faites avec l'épidémie du sida. Si je vous comprends bien, dans les 10 prochaines années, on aura finalement des résultats. Vous parliez de courbe qui continuera à monter. Vous avez situé dans le temps ce qui pourrait arriver et quel serait le scénario catastrophique, puisque vous avez déjà eu de bonnes prémonitions sur un certain nombre de choses. Donc quel est le scénario que vous envisagez ?
R : Je n'ai pas eu de prémonitions, j'ai énoncé des évidences. J'ai dit ce que tout le monde se dit. Je vais vous citer une courte anecdote au sujet du général de Gaulle. On lui disait : « Mon général, avant la Deuxième Guerre mondiale, d'où vous est venue cette préscience du nazisme ? » Et sa réponse a été brève : « J'avais lu *Mein Kampf* ». Ce n'était pas un ouvrage confidentiel, puisque c'était obligatoire dans tous les foyers du Troisième Reich. Pour faire un parallèle, moi j'ai écouté ce qu'on me disait. Je voyais bien, j'entendais des histoires absolument effrayantes et, même si je n'ai pas de données statistiques fiables, je vois bien qu'il y a un vrai problème. Ma certitude, c'est que, en fonction de ce qui s'est avéré – les accidents, les témoignages d'athlètes, de femmes d'athlètes qui se multiplient –, on voit bien à quel degré on est parvenu dans un certain nombre de sports. Tous les sports sont

touchés, mais il semble bien qu'il y ait des sports dans lesquels, sports individuels en particulier, la frénésie est atteinte. Donc effectivement, on ne sait pas exactement quels sont les mélanges, et on ne peut pas prévoir. Mais en fonction de ce que l'on voit aujourd'hui, on est à tiers de pente. Même si l'on arrête aujourd'hui, les problèmes ne peuvent que monter dans les années qui viennent.

Q: Vous parliez de témoignages de gens qui ont perdu des proches. C'est ça à court, moyen, long terme?
R: Non, c'est ça plus la judiciarisation. À l'heure actuelle sont en train de se monter un peu partout des associations de parents de victimes du dopage, et c'est ça qui explosera. L'autre conséquence intéressante d'étudier c'est de se demander si le public se lassera du sport parce que les athlètes sont dopés. Je n'en suis pas persuadé du tout. Je pense que ça fera des ravages, mais si vous voulez comparer, pas plus que la syphilis au XIXe siècle qui n'a pas fait fermer les bordels. Je ne pense pas que le dopage fera péricliter le sport. Pas du tout. Les gens aiment le spectacle sportif. C'est autre chose qui les fera changer.

Q: Vous n'hésitez pas à faire ce parallèle avec le sida. Donc, on parle vraiment d'un scénario catastrophique pour les prochaines années.
R: Oui. Peut-être que le sida a une valeur d'exemple, mais on peut sans doute trouver mieux: les accidents de la route. Si vous faites rouler la voiture toujours plus vite sur des routes que vous n'améliorez pas et avec des systèmes de protection dans le véhicule que vous n'améliorez pas, vous êtes sûr d'augmenter le nombre d'accidents et de victimes. Je pense que c'est un meilleur exemple. On améliore de plus en plus la performance, mais les êtres humains restent ce qu'ils sont. Et surtout, on ne les suit pas médicalement. Nous ici, on donne des fortes doses de cortisone à certains malades, mais on les suit de très près. Là, les types ou les filles prennent des doses de cortisone à n'en plus finir. Je regardais l'autre jour le départ d'une épreuve de cyclisme féminin, ah! pour le dermatologiste que j'étais c'était une séance de travail. Elles

avaient toutes, sur la figure, des lésions du même type. Je vous garantis que j'aurais aimé pouvoir ouvrir en deux la télévision et regarder de plus près ces lésions. C'était invraisemblable. Des infirmières m'avaient expliqué : « Ah oui une telle commence à avoir des petits boutons, elle a commencé à utiliser un peu d'anabolisant, un peu de testostérone, etc. » Je me fais un sang d'encre, maintenant. Je sais trop bien que lorsqu'une collectivité a reçu entièrement le virus du sida, pour en revenir à cet exemple, il n'y a qu'un petit nombre de gens qui développent la maladie. Mais là, si vous voulez comprendre, on était en train de prendre une pente telle que l'on ne sait plus ce que l'on fait. Je crois qu'il faut bien expliquer au public que ce n'est pas un médicament qui donne une maladie à un athlète. C'est en appuyant sur tous les boutons majeurs de l'organisme que l'on met le corps dans un autre état. Vous aurez des gens qui feront un cancer du foie, d'autres, une maladie des reins et ils seront obligés d'être sur dialyse, d'autres encore deviendront fous, feront des cancers. Si vous voulez, c'est toute la pathologie qui peut arriver. Moi, j'ai une proposition très, très précise à faire. C'est d'ouvrir un registre pour faire une étude épidémiologique des athlètes qui viennent de s'arrêter. Ce sont des gens qui se sentent totalement abandonnés, et tout le monde s'en fout. Une fois qu'ils ont fini d'être des champions, hop ! à la poubelle de l'Histoire. Avant, quand ils étaient champions de leur village, ils le restaient et racontaient leur histoire pendant le restant de leur vie. Maintenant, ce n'est plus du tout comme ça. Ils ne sont plus rien. Et quand on ne leur pique pas leur fric, ils sont heureux… ? Ce sont des gens qui ont besoin d'aide, il faut les suivre. Je suis près à admettre qu'en donnant aux gens des hormones de croissance, de l'EPO, de la cortisone, des anabolisants, des amphétamines et quelques autres douceurs comme ça chaque jour on peut vivre jusqu'à 150 ans, et que les études le démontreront. Formidable ! Malheureusement, je n'en suis pas sûr. Et si l'on voit tout d'un coup, par le suivi épidémiologique, d'anciens athlètes qui ont telle maladie à laquelle on ne s'attendait pas du tout, et qu'elle a été multipliée par 15 ou par 20, vous voyez ? Quand on pense au cirque que l'on fait avec la maladie de Creutzfeld-Jacob… je vais vous dire que lorsqu'on laisse faire ça, sans faire d'études épidémiologiques, c'est quand même monstrueux.

Q: Le procureur Guariniello à Turin a commandé une étude épidémiologique, voilà près de deux ans. Les découvertes sont assez étonnantes et bouleversent un peu l'ordre des choses, notamment en ce qui concerne la maladie de Lou Gherig. Maladie que l'on retrouve chez une famille d'un même sport, des footballeurs, à un taux qui dépasse le taux normal de la population. Peut-être ceci expliquerait-il cela. C'est ce que vous dites. Ce sont les craintes que vous avez, si on faisait une étude épidémiologique?

R: Ah oui. Première des choses, on trouverait à coup sûr des troubles cardiaques et articulaires en grande quantité. À ce moment-là, il faudrait faire la part entre ce qui est attribuable à l'entraînement lui-même et au dopage. Il y a beaucoup à faire pour comprendre. Le sport de haut niveau et le surentraînement, ça fatigue. Le sport de haut niveau ne donne pas de beaux vieillards. Il y en a quelques-uns qui sont formidables, mais beaucoup d'autres sont très abîmés par le sport. Les gens les plus dopés sont souvent très très abîmés. Cette étude italienne s'est focalisée sur une maladie neurodégénérative relativement rare, et ça frappe les esprits. Si l'on regardait sur 10 ou 15 ans l'évolution des gens, on se demanderait pourquoi on en voit plus avec telle ou telle forme de maladie. C'est ça que je veux savoir. On n'a pas le droit de dire que c'est les meilleurs qui partent les premiers ou que lorsqu'on prend des risques on les paie plus tard. Ce double discours médical est extraordinaire. Le médecin est soupçonné à chaque instant de ne pas en avoir fait assez, de pas avoir prévu ceci ou cela en matière de sport et puis on nous dit «Docteur, si vous pouviez fermer les yeux, ça arrangerait tout le monde.»

Q: On a quand même des exemples, il y a des gens qui se sont forcément bandés les yeux. Dans le cyclisme, si l'on recense – et certains l'ont fait d'ailleurs – un certain nombre de décès, on s'aperçoit qu'entre 40 et 50 ans, c'était la moyenne d'âge à peine dépassée par les coureurs cyclistes. Et là, on parle des grands

coureurs. Déjà on avait des signaux, des sonnettes d'alarme qui s'allumaient et personne n'a repris ces données. On se dit: «Après tout, ils nous ont fait vivre des bons moments… et puis passons à autre chose.»

R: Je suis tenu au secret professionnel. Je ne donne jamais de nom ou pratiquement pas. Ici dans cet hôpital en 1991, nous avons eu la première réunion avec quantité de scientifiques sur l'EPO et sur l'hormone de croissance. On avait déjà tout dit en 1991. Alors quand, en 1998, l'affaire Festina a éclaté et qu'on voyait un certain nombre de dirigeants sportifs dire: «EPO, jamais entendu parler, qu'est-ce que c'est?» on a envie de mettre des coups de pied aux fesses gigantesques, parce que ces gens mentent. Un jour, le président de l'Office française de la fédération de cyclisme, alors que les gens sont dans le boudin jusqu'au cou, arrive sur le plateau de télévision à Canal + et dit: «Alors, encore quelques brebis galeuses qui jettent le discrédit sur un sport propre!» Des gens comme ça, il faudrait les attaquer en justice. Mais seulement voilà, comme on est tenus par le secret professionnel et que la loi dit: «Est dopé celui qui a quelque chose dans les urines», on ne peut rien faire. Si je dis ce que je pense sur le plan médical, je suis condamné. Un jour, un journaliste de France Inter m'appelle en direct et me dit: «Mais alors vous vous dégonflez, donnez-nous des noms.» «Je ne me dégonfle pas. Vous payez les avocats?, parce que moi je n'ai pas de quoi me les offrir! Si vous payez les avocats, moi je donne les noms.» C'est bien ça le problème, finalement. Les gens qui veulent dire quelque chose sont immédiatement rejetés par la profession. Même si c'est un petit peu en train de changer.

Q: Passez-moi l'expression, mais vous observez la gangrène et vous dites: «Après tout vaut mieux que l'on coupe la jambe plutôt qu'elle tombe toute seule»?

R: Non. Je dis que la gangrène est en train de progresser. Faisons tout pour sauver la jambe. C'est plutôt ce raisonnement médical. Je me souviens un jour de M. Raymond Barre qui était venu voir comment nous fonctionnions sur des bases hospitalières assez nouvelles et il disait: «Mais pourquoi les gens ne vous aident pas plus?» Alors je lui ai dit: «Mais monsieur le premier ministre, parce que j'ai beau dire, ça n'intéresse personne. Il est vrai qu'en France on ne s'intéresse au problème que lorsque l'on est au bord du précipice. Quoi qu'en ce qui vous concerne, vous pourriez y arriver bientôt.» Je pourrais ressortir ça, à propos du dopage. Les gens se rendent compte qu'on est sur le bord du précipice. Prenez la maison Festina. Ils se sont foutus de moi pendant un bon bout de temps ces gens-là. Pourtant, je me souviens de Virenque pleurant au bout du téléphone : «Vous qui savez que je prends rien, défendez-moi !» J'aurai eu bonne mine si j'avais dit «Je vous fais confiance !» C'est un brave petit gars, après qu'il a fini par confesser tout ce qu'il prenait. L'année dernière, une grande équipe de cyclistes me fait venir aussi. Je suis reparti au bout de 30 secondes. J'étais un alibi. Et pas plus tard qu'avant-hier une grande équipe était très ennuyée, le responsable m'a téléphoné. Ce sont des gens qui m'utilisent, car ils disent : «Escande a bien dit que nous étions des gens propres.» Moi, ce que je veux, c'est une déclaration conjointe dans chaque pays. Que les ministres des Sports et de la Santé disent : «Nous avons conscience que ce problème du dopage est à la fois un problème d'éthique sportive et un problème de santé publique et nous allons nous y mettent conjointement.»

Q : C'est ce que voulait faire la conférence de Copenhague avec la création de cette Agence mondiale antidopage. À part qu'on a l'impression qu'on est en train de construire l'ONU sans Casques bleus, en fait.
R : Mon copain Alain Garnier s'occupe du problème médical. Avant, il était au ministère et a fait du bon travail. Quand il me téléphone, régulièrement, il me tient au courant de ce qui se passe à l'Agence mondiale, il ne manque pas d'espoir. Mais je crois avoir compris qu'à chaque fois qu'il tente quelque chose on lui dit oui, mais qu'immédiatement après des gens arrivent pour tout saper par en dessous. Si vous voulez savoir, la capacité de récupération et la mise de bâtons dans les roues est absolument extraordinaire.

Q : Vous croyez donc que l'Agence mondiale antidopage est un alibi pour la bonne conscience des États et du monde du sport ?

R : Je pense que les gens de l'Agence mondiale sont des gens sincères et honnêtes. Ils ont envie de réussir. Mais je pense que la société n'est pas mûre pour accepter ce que veut faire l'Agence mondiale. Les fédérations internationales, tout comme le Comité international olympique, sont actuellement, je le dis franchement, dans l'hypocrisie. On a rajouté au serment des Jeux olympiques « Je jure de ne pas me doper »... mais, à ce moment-là, il faut prendre des mesures pour que le serment ne soit pas un parjure. Vous ne pouvez pas savoir comment cela m'a choqué. L'olympisme pour moi, c'est fini. C'est devenu purement et simplement un spectacle. Rajouter cela, c'est se donner les moyens de traquer les parjures, sinon il vaut mieux faire semblant de ne pas savoir. Mais le rajouter, alors qu'immédiatement après tout le monde sait ce qui se passe...

Q : On revient encore une fois aux vertus d'antan juste pour se donner l'alibi de la bonne conscience, quoi.
R : Oui, mais là c'est plus grave. C'est de la gesticulation, c'est le loup déguisé en mère-grand. Je n'aime pas ça du tout. Ils ne m'aiment pas non plus, alors ça va.

Q : Finalement est-ce que vous n'avez pas le sentiment aujourd'hui que le corps de l'athlète est devenu trop petit ? L'athlète est devenu trop petit pour répondre à toutes les exigences que l'on a pour lui ?
R : Oui c'est une bonne question ça. Ivan Illitch qui est mort en décembre 2002 a écrit juste avant de mourir dans le *Lancet Journal*, un article qui s'appelait « History in the Body » (l'Histoire du corps). Alors c'était du Ivan Illitch à l'état pur. C'était merveilleux. Il disait : « Les gens n'ont rien compris à ce que j'expliquais sur la médecine. Je suis le seul à avoir compris que la médecine faisait plus de dégâts que de bienfaits. Mais j'ai oublié l'essentiel, c'est le corps. C'est la révolution qui a surgi à travers le corps ». Et il disait cette chose merveilleuse : « Dorénavant, les gens ne disent plus "le corps que j'ai", mais "le corps que je suis". » Dans la mythologie du dopage, on trouve la notion de « Je peux faire de mon corps beaucoup plus que ce que préconise l'agonie judéo-

chrétienne qui en fait l'habitation sale d'où l'âme un jour, comme disait Origène, s'envole pour retrouver la pureté au-dessus». Tout d'un coup on a dit: «Le corps c'est bien, et ça peut être encore mieux.» On peut, avec le dopage, avoir plus de vie. C'est véritablement quelque chose qui a répondu à ce besoin du corps. Je suis dans une spécialité, la dermatologie et je m'occupe de maladies graves, comme le cancer et le sida, mais la tentation extraordinaire est de ne faire que de la cosmétique. Vous avez le corps et l'apparence du corps. Le dopage a été bien analysé par les sociologues. Patrick Laure (chercheur au laboratoire de psychologie appliquée Stress et société, à Nancy, en France) a compris ça. Finalement chacun espère qu'il deviendra Superman. Chacun espère qu'il deviendra Hulk. À un moment donné, on peut devenir un type surpuissant. Quand faut-il être qui? Il y a le moment où je fais du sport, le moment où je fais mon déménagement et je veux devenir super costaud. Hors, quand vous prenez de l'érythropoïétine (EPO), une hormone de croissance, vous êtes un autre bonhomme. C'est ce que disent tous les gens. Pourquoi les athlètes ne veulent-ils pas décrocher? Parce que c'est quand même formidable. Tant et si bien que je disais un jour dans une émission à Mme Marie-Georges Buffet: «Madame la ministre, vous êtes plutôt un ministre social n'est-ce pas? Les ministres communistes sont plutôt des ministres sociaux. Le déménageur de piano, vous trouvez pas que ce serait bien de lui donner de l'érythropoïétine, une hormone de croissance, un anabolisant? Et la ménagère qui monte au huitième étage sans ascenseur avec des gros paquets, ce serait pas bien de lui faciliter la vie aussi?» Et effectivement, c'est notre rêve à tous. On veut des voitures toujours plus puissantes, des avions qui vont plus vite et on voudrait avoir un corps qui soit à l'unisson du progrès. La tentation du progrès biologique est quelque chose d'absolument extraordinaire. Un jour, Kouchner me disait: «Moi tu comprends, au marathon de New York, au 20e kilomètre, je me suis dopé. J'ai pris un comprimé d'anti-inflammatoire et j'ai terminé beaucoup mieux.» J'ai dit: «Tu ne t'es pas dopé, le produit n'est pas sur la liste.» Donc les anti-inflammatoires ne sont pas du dopage. Et il est évident que le jour où vous êtes fatigué, pour reprendre l'image du déménagement, que vous êtes fourbu le soir, vous prenez deux comprimés d'anti-inflammatoire, et le lendemain vous êtes un jeune homme ou une jeune femme. Vous avez récupérez vos forces. En tant que médecin, il y a un dopage de confort que je recommande très vivement à mes patients. Dans le cas de courbatures, c'est évident. Prenez quelqu'un qui arrive au bord de la mer pour ses huit jours de vacances. Il veut faire du bateau ou du vélo. Il en fait le premier jour mais le lendemain, il est courbaturé. Est-ce qu'on lui dira : « Ah ce sont des courbatures, c'est parce que tu n'étais pas préparé. C'est bien fait pour toi. Pendant trois jours, tu ne vas pas pouvoir marcher » ? Moi, je leur donne des anti-inflammatoires. Je leur en donne même préventivement. J'ai pas l'impression de mal faire, mais je fais du dopage. Je fais de l'expérimentation. Non pas de l'expérimentation humaine, mais je suis hors autorisation sur le marché des médicaments.

Q : Mais tout de même, monsieur Tout-le-monde n'a pas accepté de rentrer dans un cadre avec des règles et un code d'éthique, etc. C'est peut-être là que ça s'arrête ?
R : Vous avez tout à fait raison. À l'heure actuelle, on fait rentrer les sportifs dans un code d'éthique qu'ils ne peuvent pas tenir. Un jour, j'ai fait rire tout le monde en disant, alors qu'on me posait la même question : « Quand on se marie on se jure bien fidélité… » *(rires)* Effectivement, on fait rentrer les sportifs dans un code d'éthique qui leur interdit de prendre le moindre produit. Et pourtant, ils ont droit de prendre des quantités de produits, des quantités. Mais on les fait actuellement rentrer dans un piège. J'en veux beaucoup aux Comités internationaux olympiques qui font jurer les athlètes de ne pas se doper, c'en est trop. Qu'ils leur fassent dire : « Nous ferons tout pour éviter le dopage ! », ça serait mieux !

Q : J'aimerais justement aborder cette question. Certains spécialistes disent que finalement l'érythropoïétine (EPO), les hormones de croissance sont certes dangereux, mais que le cocktail médicamenteux de tous ces fameux produits légaux qui

justement ne sont pas sur la liste des produits interdits, mais qui sont accumulés et associés les uns aux autres ferait plus de dégâts en fait, ou tout autant, que ces produits encore plus dangereux à manipuler que sont l'EPO et les hormones de croissance.

R : C'est bien possible mais personne n'en sait rien ! On ne sait pas ce que prennent les gens. C'est l'occasion de dire que les sportifs eux-mêmes ne savent pas vraiment ce qu'ils prennent. Ça fait des années que l'on parle de l'EPO, personne ne sait ce que c'est vraiment. C'est très compliqué d'expliquer et de comprendre ce qu'est l'EPO. Pour cela, il faut comprendre comment fonctionne la moelle osseuse. Comment se forment les globules rouges. Que sont les facteurs de croissance qui ont valu un prix Nobel à un certain M. Stanley Cohen et à Mme Rita Levi-Montalcini. Ce n'est pas une petite affaire de biologie. Je ne comprends pas qu'il n'y ait pas des chaînes de télévision culturelle où l'on passe une journée autour de ce problème, de la façon la plus simple pour que les gens comprennent. J'ai fait ça, un moment donné, à la télévision et ça marchait très, très bien. Mais ce n'est plus de mode. Donc les gens ne comprennent pas. Et un entraîneur de sportifs de haut niveau me disait : « Le types viennent me voir et me disent : "Fais-moi une soufflante." » Ils veulent quelque chose qui leur donne du souffle. On a beaucoup d'illusions sur ce que peuvent connaître les gens qui utilisent ces produits. Un soigneur d'une équipe cycliste me disait : « J'ai deux types dans l'équipe, quand je laisse traîner les comprimés, ils les bouffent sans savoir ce que c'est. » C'est une véritable toxicomanie, avec des troubles obsessionnels compulsifs. On s'illusionne beaucoup sur ces espèces de guignols qui toute la journée regardent des listes de médicaments pour savoir si parmi les médicaments permis il n'y a pas d'effets connexes qui permettraient d'avoir une action dopante. Et le guignol en question donne ça à un sportif. Si ça marche, le type le dit à son pote : « Tu devrais prendre le truc pour les biceps, c'est formidable. » Alors l'autre lui dit : « Tu me fileras un biceps. » Tout à coup, il y a des petites recettes qui se transmettent, mais on sait plus très bien d'où c'est parti.

Q : Finalement pour qu'il y ait moins de dégâts, il faudra qu'il y ait un dopage assisté ?

R : C'est ce que je crois. Il y a déjà des quantités de produits autorisés, les antibiotiques, les anti-inflammatoires. Quelqu'un qui ne se dope pas… se dope quand même. On prend tous des médicaments pour être mieux, pour améliorer sa performance. Il y aura une forme de dopage assisté, le tout est de savoir si l'on interdira un certain nombre de produits. Si, comme je le crains, des leucémies se manifestent d'ici quelques années, on interdira l'EPO, et les athlètes ne voudront plus en prendre, encore qu'il y en a qui risquent tout. Mais la question qu'on se posera est : faut-il interdire un certain nombre de produits malgré tout ? On verra comment la société évoluera. On ne peut pas savoir. Des médecins dans des fédérations ou des clubs, même s'ils n'auront pas été les dopeurs, mais où ils auront assisté et finalement donné des conseils, payeront cher les morts qui auront lieu dans 5 ans ou 10 ans. C'est ce que Philippe Gaumont (le cycliste) racontait l'autre jour : « Le docteur Machin, c'est pas lui qui nous fournissait les produits, mais quand on le lui demandait, il nous disait comment les utiliser. » Je ne jette pas la pierre au docteur Machin. Je ne le connais pas. Mais je suis médecin et s'il y a un type qui vient me voir et me dit : « Je sniffe 50 lignes de cocaïne par jour et je fume 60 pétards, qu'est-ce que tu me conseilles ? » je ne vais pas lui dire : « Hors de ma vue, ordure, je ne veux pas te voir ». Je lui dirai : « Écoute, réduis un peu ta consommation et fais attention, bois suffisamment. » À l'heure actuelle, je ne voudrais pas être à la place de certains médecins de clubs ou de fédérations qui forcément voient et ont vu, savent et ont su, mais qui n'ont rien dit.

Q : Je vais me permettre un parallèle avec la guerre. Un certain nombre de gens savait et il a fallu attendre le tribunal de Nuremberg pour juger les coupables. Vous êtes en train de me dire que finalement il y aura un tribunal de Nuremberg de la médecine et que les gens devront répondre de leurs gestes ?

R : Oui, je le pense. Un tribunal de Nuremberg peut-être pas, toutes ces choses-là se dissoudront petit à petit. Je me souviens d'un ami journaliste à qui j'ai dit au moment de l'affaire du sang contaminé : « Oh la la, les mises en accusation pleuvent, vous avez vu ? » Il m'a répondu : « Oui. On va vers un non-lieu » « Pourquoi ? » « Parce que lorsqu'on veut faire un procès, faut pas qu'il y ait plus de trois coupables. À partir du moment où il y en a 40, c'est le non-lieu obligatoire. » Nos sociétés sont très malignes quand il s'agit de se sortir d'un faux pas. On condamnera peut-être deux ou trois types pour l'exemple. Pour le reste on trouvera un *modus vivendi*, un arrangement. Mais il faut le trouver parce que la judiciarisation fera qu'on se plaindra. Regardons ce qui se passe aux États-Unis. Aux États-Unis, le dopage est considéré comme faisant partie de la vie quotidienne. On se dope dans le foot américain, on le sait. Il y a eu des études faites sur les bloqueurs qui ne vivent pas plus de 50 ans. On accepte ce risque. Que l'on fasse les études que je demande, qu'on chasse les espèces de crétins qui font n'importe quoi et qu'on dise que vous avez un risque à assumer. Voulez-vous gagner beaucoup d'argent et mourir à 50 ans, avoir la gloire ou voulez-vous qu'on empêche ça ? L'opinion publique se prononcera. Et bien malin qui pourra dire comment ça se passera ! Un de mes exercices favoris dans la vie c'est de prendre les prédictions 30 ans avant et de voir ce qui s'est passé. C'est amusant, très amusant. Les évolutions de la société sont inimaginables. Il y a quelque temps, on disait qu'il fallait pas que la télévision se répande trop, qu'Internet ne marcherait pas. J'ai déjà entendu tout. Et cela a été emporté. On ne sait pas comment la société réagira. Ce que l'on sait c'est qu'elle ne laissera pas les morts s'accumuler sans demander réparation du préjudice ou des handicaps. Quand les handicaps ou les morts seront identifiés, la réparation des préjudices sera exigée immédiatement. Ça c'est une certitude. Maintenant quelle forme ça prendra ? Tonitruante sur le plan juridique ou au contraire ce sera une affaire d'assurances qui se résoudra sans trop faire de vagues, on ne peut pas savoir.

Q : Plus près de nous, voyons maintenant les prochaines échéances du spectacle. Un spectacle planétaire s'il en est, les Jeux olympiques d'Athènes qui s'en viennent. Comment les

voyez-vous ? Que va-t-on voir dans ces jeux ? Un tournant ? Constatera-t-on les mêmes choses ? De la prudence ? Voyez-vous ces jeux ?

R : La prédiction est difficile à faire. Il ne semble pas qu'il y ait eu de grands progrès dans les nouveaux produits dopants. On assiste à une relative stagnation des performances et même à un certain recul. Ça fait partie des sujets qui me passionnent. L'efficacité d'un médicament est attribuable à deux choses. Un, son efficacité propre. Deux, la foi et l'espoir que l'on met dans ce médicament. Ce qu'on appelle l'effet placebo. Plus un médicament est puissant, plus l'effet rajouté, l'effet placebo, est important. Mais ça ne dure que pendant deux ans. C'est un des plus grands mystères de la thérapeutique. Quand quelqu'un croit à un médicament, s'il est nul, au bout de deux ans, il n'y a plus rien. Et quand un médicament n'est pas nul, mais au contraire très efficace, au bout de deux ans, il n'est plus que lui-même. Or, à l'heure actuelle, c'est à cela qu'on assiste. Il y a eu une flambée de résultats. Tout le monde battait des records du monde. Tout d'un coup, vous avez 70 personnes qui font mieux que le champion d'avant. Ou on a amélioré la race ou il y a une petite chiquenaude que l'on a donnée. Très bien. Après ça stagne et ça diminue un peu, l'effet placebo est parti. C'est-à-dire que l'on prend l'hormone de croissance, l'EPO en routine et que le côté magique n'agit plus. C'est peut-être ce qu'on verra aux Jeux d'Athènes. Maintenant, à quel moment les sportifs commenceront-ils à avoir une peur de l'avenir qui dominera l'envie du résultat immédiat ? Ça je suis trop loin actuellement du monde du sport, encore que je sois depuis peu membre du Comité d'éthique de la Fédération française de rugby et que je vois bien une véritable anxiété se cristalliser. L'autre jour, un ancien international français, qui est président de ce comité d'éthique, m'a demandé de prendre la parole devant des éducateurs, vraiment de braves types qui ont aidé des gamins qui sont devenus des internationaux. On les avait réunis et j'ai parlé de cela et l'équipe m'a dit : «Vous savez c'est intéressant, parce que, nous, on s'en rend pas bien compte de ce qui se passe.» «Ces gamins que vous aimez et que vous prenez en main et dont vous voulez faire des champions, vous les livrez à des espèces d'apprentis sorciers, c'est épouvantable.» Ils étaient un peu remués. À l'heure actuelle, l'information ne passe pas bien. Mais ça commence à aller mieux. J'entendais l'autre jour: «Dans telle équipe de rugby, en six mois, l'équipe a pris en moyenne 10 kilos, tandis que l'équipe d'en face n'a pris que 3 kilos.» Alors 3 kilos, c'est la musculation, avec l'hormone de croissance, ça ne fait pas beaucoup. Dix kilos c'est les anabolisants, à coup sûr.

Q: Faisons un peu de science-fiction, professeur. Vous nous avez dit que vous aimeriez avoir une enquête épidémiologique sur les retraités du sport de haut niveau. Mais qu'en est-il de ceux qui continuent? Hier, on nous disait que ce n'est pas de la science-fiction, on travaille déjà sur les tendons, on reconstitue des choses artificiellement, génétiquement. Qu'est-ce qui vous fait peur? Comment voyez-vous ça? Avez-vous des craintes au-delà des morts qui s'en viennent? L'homme bionique qu'on essaie de construire, comment le voyez-vous?
R: Vous allez me prendre pour un fou, mais cela n'a aucune importance. Ce que je crois c'est qu'à l'heure actuelle, la biologie est malgré tout dans une sorte d'impasse. Dieu sait que je me suis intéressé à la révolution génétique et à toute cette période que je connais bien du point de vue de l'histoire des sciences, mais je pense que ce qu'on appelle la biologie moléculaire et le génie génétique est quelque chose qui n'est pas opérationnel, pas du tout. Il se trouve que j'ai eu la chance dans ma vie de côtoyer et de travailler avec des gens du plus haut niveau international en biologie, en physique, en mathématiques. Je commence à entrevoir, assez bien même, ce que sera la biologie du futur. Ce que l'on sait sur la génétique, c'est un peu comme connaître les pages jaunes de l'annuaire. On trouve très bien ordonnés les noms de tous les responsables avec leurs spécialités, mais ça ne nous dit pas comment fonctionne l'économie. Or, à l'heure actuelle, en matière de biologie, on connaît très bien les pages jaunes, on sait très bien lire la liste des responsables, on sait bien en gros ce qui se passe, mais on n'a aucune idée des ateliers, des usines, des commerçants, des moyens de communication, etc. Pour le moment, je me dis qu'il y a des apprentis sorciers. Et les apprentis

sorciers de temps en temps réussissent des coups, mais des coups très ponctuels. Cela dit, pour nos malades, on aimerait bien que le génie génétique fonctionne et quand même, on serait tenus au courant. Pour l'instant, on améliore quelques souris, quelques bactéries, on embête quelques virus, mais on est pas encore arrivés. D'ailleurs les investisseurs ne veulent plus mettre un rond dans le génie génétique, parce qu'ils pensent que ça ne marche pas. Alors je crois que là on sombre un petit peu dans la mythologie en disant qu'il y a des génies, des docteurs No qui n'ont pas encore été repérés par James Bond et qui, dans une île secrète, ont réussi pour le domaine sportif là où tous les biologistes du monde n'ont pas réussi. Je n'y crois pas. Que l'on utilise toutes les techniques possibles pour essayer de voir si ça marche, j'y crois absolument, ça rentre dans le cadre de l'expérimentation humaine. Voilà les trois mesures que je préconise : 1. Ne plus jamais parler de dopage tout seul, mais de dopage et d'expérimentation humaine, l'un ne va pas sans l'autre ; 2. Poursuivre le prescripteur ; et 3. Ouvrir le registre épidémiologique. Là, vous aurez une véritable politique antidopage. C'est simple, vous changez l'intitulé. Vous poursuivez le prescripteur de drogue et vous établissez un registre épidémiologique. Je ne demande rien d'extraordinaire. Pour le moment, je peux dire que ça m'amuse, même si je ris jaune, mais ça m'amuse quand même de suivre ce qui se passe. Quand on me dit : « Tel cycliste reçoit tel truc génétique et tout ça. » Non. Je crois qu'il est tombé sur un mécanicien qui règle… Je ne pense pas que Jean Todt avec Ferrari a un carburant spécial et des métaux spéciaux. En revanche, je pense que lorsqu'on règle très bien les différents ingrédients, on réussit. C'est très étonnant. En motocyclisme, le petit Rossi a dit qu'il changeait d'écurie parce qu'il veut montrer qu'il est le meilleur régleur du monde. Alors, il change de moto. Premier grand prix, et il fait gagner ceux qui perdaient toujours. Il y a des gens qui savent régler la machine et la machine humaine aussi. Il y a des types qui doivent être très très fins dans la manipulation des drogues. Et puis, il y a des sujets plus réceptifs que d'autres.

Q : Revenons sur les craintes que vous avez esquissées. Je reprends votre métaphore des pages jaunes de l'annuaire. Si l'on arrivait à faire en sorte que l'on comprenne le mécanisme et à faire que le plombier se joigne à l'électricien, au charpentier, etc. finalement on arriverait à construire la maison idéale ?

R : J'ai travaillé avec des biologistes, sur le cancer, en reconstruisant des cancers en laboratoire et j'ai vu des mathématiciens proposer une modélisation abstraite de la mécanique humaine. Je peux vous dire que j'ai les idées très claires quant à la direction dans laquelle il faut aller. Ça fait 30 ans maintenant que je bosse sur le sujet et je ne fais pas de cirque. Où va-t-on ? Le surhomme on l'a. On est dans Faust. Fait-on un pacte avec le diable en faisant cela ? Dans le mouvement scientifique, on trouve deux catégories de personnes. Celles qui disent qu'il faut arrêter, que l'humain doit rester ce qu'il est. Et puis celles qui disent qu'on n'arrête pas le progrès, qu'il faut aller voir. Mais réellement, que deviendra le sport si l'on court le 100 m en 3 secondes ? C'est l'exemple que je prends toujours, si on court le 100 m en 3 secondes… mais pour le hockey, le foot, le rugby, il faudra agrandir les terrains démesurément. Vous voyez une patinoire qui fait 200 m, parce que les types vont plus vite que le palet ? Ça serait embêtant, tout de même !

Q : On ne peut pas empêcher le scientifique que vous êtes de rêver ou de se dire que l'homme bionique, de toute manière, existera ?

R : Oui. Je pense que si le comité d'éthique faisait bien son travail, il me supprimerait immédiatement, parce que j'en sais trop. Non mais, je suis sérieux. Si quelqu'un ne me croit pas, j'ai tout le temps qu'il faut pour lui expliquer ce que je pense de la biologie. On va y arriver. On arrivera à une modélisation du corps humain. À l'heure actuelle, on a très bien repéré les séquences biochimiques. On sait très bien comment les gènes donnent des ordres, que les enzymes partent, coupent les choses, etc. Mais on ne voit ça ni dans le temps ni dans l'espace. On voit ça comme si on était un gigantesque tube à essais. Or, on n'est pas un gigantesque tube à essais. On est un gigantesque nombre de cloisons et à l'intérieur de chaque petite logette, il se passe une réaction, et tout cela est coordonné. On peut se donner une représentation abstraite de tout cela et le mathématiser. À partir de ce moment-là, vous pouvez bâtir un simulateur et alors la biologie change totalement. Il y aura des premiers résultats très rapidement et puis ça prendra ensuite des années et des années. L'homme bionique, effectivement, c'est une possibilité. Le fonctionnement du cerveau ça peut se modéliser. Je connais deux exemples historiques. Le premier c'est Louis Pasteur. Les fièvres, personne n'imaginait que l'on puisse dominer le sujet. Or avec la découverte des microbes, tout d'un coup, on arrive à une classification possible sur des bases objectives. La deuxième chose, c'est l'hérédité. Quand vous lisez les textes sur l'hérédité, vous voyez qu'on a démontré que le gène était fait d'ADN. C'est ça la grande découverte. Personne n'y a cru pendant 11 ans, et le type qui a dit que les gènes étaient constitués d'ADN, il n'a pas eu le prix Nobel. C'est extraordinaire! La plus grande découverte scientifique biologique du XXe siècle, et pas de prix Nobel! C'est impossible de comprendre la génétique, c'est trop compliqué, il y a trop de paramètres. Maintenant, on a très bien compris comment fonctionne une partie du poste de commandement, mais en dehors de la génétique patronale, quelle est la vie ouvrière dans l'organisme entier? Ça, on le domine pas du tout. Ces types sont des apprentis sorciers, parce que l'organisme est une boîte noire. Vous envoyez quelque chose et vous regardez à la sortie ce qui se passe. Donc, les progrès de la biologie dans les 20 ans qui viennent entraîneront, très certainement, une redéfinition totale de ce qu'est la machine humaine.

Q: On est finalement dans une situation de lutte contre le dopage qui sera rapidement obsolète. Donc je vous pose la question, professeur: et si on abandonnait?

R: Ah moi, je suis pas contre, si demain on me dit que la lutte contre le dopage est supprimée, si la notion même de dopage est supprimée, mais que l'on fait un suivi médical extraordinairement précis des athlètes, avec des études épidémiologiques. Nous n'avons parlé que des athlètes de haut niveau, mais le dopage est généralisé. Les jeunes espoirs se dopent pour devenir des athlètes de haut niveau. Les athlètes de haut niveau sont faciles à pointer, parce qu'ils sont la partie la plus significative, mais ils ont une valeur de modèle. Si on laissait tomber? Pourquoi pas, faisons de la médecine. Mais c'est une décision qui ne me revient pas. C'est le groupe social qui tout d'un coup bascule d'un côté ou de l'autre. Les experts peuvent dire ce qu'ils pensent, ça peut influencer. Mais ce serait de la prétention de dire que l'on me suivra. Il y a deux choses totalement contradictoires en l'homme. Le premier c'est : « je veux me transformer, je veux être fort, je veux régner, je ne veux pas de problèmes » et le deuxième c'est « Oui, je veux conserver l'espoir que des êtres humains qui sont nés comme ils sont nés, simplement par la sueur et par l'effort, arrivent à devenir des champions et qu'on n'ajoute rien d'autre, surtout pas du chimique. » Voilà. Alors si vous voulez, on oscille entre les deux.

Q : Un justicier qui aurait la vie éternelle quoi, c'est à peu près ce que l'on recherche ?
R : Ah tout à fait. Jean-Michel Flasaquier, un journaliste de France 2, a dit cette chose très bien : « On ne veut plus mourir. Jeanne Calmant (elle était la femme la plus âgée du monde) meurt à 122 ans. Qui a fait la bavure médicale ? » Vous comprenez ? On a un besoin d'éternité qui est réel. Imaginons un bûcheron canadien ou un paysan français. Il y a un siècle, la vie lui paraissait différente. Il n'avait pas de souvenirs, si ce n'est ce qu'il avait dans sa tête. Il n'avait pas d'objets qui lui rappelaient son voyage à tel endroit, pas de photos, pas de télévision pour lui montrer des rétrospectives sans arrêt. Donc il avait l'impression toujours de vivre l'instant, le moment présent. Avant, le lointain, c'était lointain. Prenons la Coupe du monde de foot de 1958. L'arrivée de Pelé dans le foot c'est formidable, sauf que je la revois tous les deux jours. S'il y avait pas la télé, les photos, le cinéma… Prenons un gamin de 16 ans, si je lui dis ça aujourd'hui, il me répond : « Oui, oui t'en fais pas, on l'a vu hier. » On a complètement changé notre position par rapport au temps, par rapport à l'espace. Les gens ne se sentent plus vieillir. Vous savez, il faut que je me pince pour me dire que j'ai 65 ans. Vous voyez, il faut faire attention.

Q : Je terminerais peut-être en vous proposant un jeu de l'esprit. Si vous deviez définir ou faire une phrase sur ce que sera le sportif de demain, celui de haut niveau, qu'est-ce qui vous viendrait immédiatement à l'esprit ?

R : Ce que j'ai écrit pour l'an 2000, pour *L'Équipe Magazine.* Il y aura trois types d'activités sportives. D'un côté, le sport extrême, le sport fun, où on s'éclate comme le sport de glisse, le parachutisme et toutes ces choses-là. De l'autre côté, il y aura le sport spectacle avec des gens qui ne pourront pas ne pas être super dopés. J'espère qu'ils seront bien suivis et qu'ils le seront par toute la planète. Alors il y aura 50 basketteurs, 50 ou 100 footballeurs et on se passionnera pour eux, mondialement. Et puis au milieu, il y aura un sport de compétition avec des gens qui pourront abdiquer l'idée d'être des vedettes et qui seront de bon niveau, mais qui s'amuseront, en cadets, en juniors, en seniors et qui feront des matchs et des championnats, pour lesquels ils prendront des aides à la performance modérées. Je vois cela vraiment. Il y aura l'activité ludique de base, où l'on fait un peu de sport. Je me souviens d'un jour où, pour un journal, on m'avait commandé une étude sur le sport après 50 ans. J'ai téléphoné à une amie gérontologue pour lui demander ses conseils pour un homme de 60 ans qui joue au tennis. Et elle m'a répondu cette chose merveilleuse : « Dis-lui de ne pas chercher à battre son fils ! » À l'heure actuelle, on voit des types qui se dopent pour essayer de battre leurs fils. Vous voyez, ils refusent de vieillir. Il y a un énorme, un énorme problème. Voilà comment je vois le sport : le sport compétition, le sport fun, et l'esprit de compétition qui s'étend un peu partout.

Les AGM, athlètes génétiquement modifiés

Rencontre avec Gérard Dine

« Si l'on arrête pas les surenchères biotechnologiques, le problème du sprinter sera d'accrocher au sol avec les bonnes chaussures. »

Amphétamines, stéroïdes anabolisants, hormones de croissance, EPO, THG, tous ces produits dopants risquent bientôt de tomber dans l'oubli. L'athlète de demain est déjà en construction. Thérapie génique, biotechnologie, manipulation génétique seraient le nouvel arsenal des aprentis sorciers du dopage sportif. Dans certains cas, on aurait déjà dépassé l'expérimentation animale et l'univers sportif serait devenu un vaste laboratoire. Il y a quelques mois, j'ai rencontré le professeur Jacques Tremblay du Département d'anatomie et de physiologie et chercheur à l'Unité de génétique humaine du Centre hospitalier universitaire Laval, à Québec. Dans son minuscule bureau, presque caricatural du chercheur scientifique, Jacques Tremblay m'expliquait son travail de recherche sur les problèmes liés à la dystrophie musculaire. Sur son ordinateur, le chercheur me montrait les travaux du professeur Lee Sweeney de l'Université de Pennsylvanie qui sont similaires aux siens.

Les deux chercheurs ont fait des expériences sur des souris transgéniques et les premiers résultats sont tout simplement spectaculaires. L'idée (je vulgarise) était de manipuler génétiquement des souris pour qu'elles produisent davantage de protéines qui favorisent la croissance et la reconstruction musculaire.

Les souris auront des muscles plus gros que la normale, elles paraissent revigorées, plus jeunes. La même expérience a été faite sur des rats. Là encore, c'est spectaculaire. Les rats devaient se soumettre à un véritable parcours du combattant, monter une échelle avec un poids sur le dos, etc. Comme pour les souris, les muscles des rongeurs avaient augmenter de 35 % et leur force ne diminuait pas, pas plus que leur volume musculaire. Les photos des rongeurs que m'a montrées le professeur Jacques Tremblay (car on ne pouvait accéder aux laboratoires pour voir les souris pour des raisons de sécurité) sont renversantes. Les photos de la souris prises de face avant la manipulation et après sont bouleversantes de vérité. On a l'impression de voir, côte à côte, un rachitique et un culturiste! On est loin encore d'une victoire pour améliorer la vie des personnes atteintes de la dystrophie musculaire, mais les résultats des chercheurs sont encourageants. Puis, Jacques Tremblay a commencé à me montrer des sites Internet où l'on propose déjà des produits inspirés des recherches québécoises et américaines sans même aucune publication sur les résultats de leurs recherches respectives!

Plus grave, le professeur Lee Sweeney a commencé à présenter ses travaux devant la Société américaine de biologie cellulaire. Le lendemain de sa présentation, il a reçu un courriel d'un entraîneur de football d'un collège de la Pennsylvanie qui voulait que l'on administre le traitement à toute son équipe! On peut facilement imaginer ce que serait le sportif de demain avec des apprentis sorciers qui détourneraient le fruit des recherches des professeurs Tremblay et Sweeney. Même la très musclée, feue Florence Griffith-Joyner aurait l'apparence d'une naine à côté d'athlètes qui auraient été manipulés génétiquement comme les souris de Sweeney et de Tremblay! (Florence Griffith-Joyner fut la star incontestée du sprint féminin des années 1980. Avec deux records du monde au 100 m et au 200 m qui tiennent encore, la sprinteuse américaine a toujours été soupçonnée de dopage, en raison de sa surprenante musculature qui lui donnait un aspect presque inhumain. Après sa mort en 1998, à l'âge de 38 ans, les articles associant sa mort (AVC) aux prises de produits dopants étaient légion.)

On peut raisonnablement se demander ce qui arriverait si le fruit des recherches québécoises et américaines tombaient entre les mains des sorciers qui gangrènent le monde du sport.

Imaginons le scénario futuriste où un État sans scrupules, ayant besoin d'une vitrine idéologique sur le monde, en viendrait à pousser ses chercheurs à créer des monstres sportifs à coups de manipulations génétiques. Sommes-nous déjà en route vers la création de l'athlète bionique? De mystérieux laboratoires aux chercheurs sans éthique existeraient-ils déjà?

Pour répondre à ces inquiétantes questions, je me suis rendu à l'École centrale, au sud de Paris, qui est d'ailleurs jumelée avec l'École polytechnique de Montréal. Gérard Dine y enseigne la biotechnologie et vient de finir une thèse dans le domaine de la thérapie génique. Le professeur Dine est aussi l'auteur de nombreux articles scientifiques dont un intitulé : « Arsenal dopant : présentation actualisée non exhaustive ». Dans cette communication scientifique, le chercheur s'inquiète des dérives liées aux transplantations géniques.

En plus de ses activités d'enseignement, Gérard Dine est également médecin biologiste et onco-hématologue à l'hôpital de Troyes, en France. Lors de notre rencontre, Gérard Dine terminait une consultation délicate au téléphone.

Q : Vous venez de raccrocher, vous étiez en pleine consultation… Dites-nous pour commencer qui vous êtes. On vous présente comme professeur, Dr Dine?
R : J'ai une fonction d'enseignement, puisque je suis professeur de biotechnologie à l'École centrale de Paris, qui est une grande école d'ingénieurs, et qui est en double diplôme et en collaboration avec l'École polytechnique de Montréal. C'est-à-dire que nous avons sur le campus des jeunes Canadiens de cette école de Montréal et nous avons des jeunes centraliens à Montréal. En parallèle à cette activité d'enseignant en biotechnologie, je suis à la fois médecin biologiste, titulaire de direction d'un laboratoire de bioclinique et, comme on dit en France, onco-hématologue, ce qui veut dire que je suis spécialiste des maladies du sang, notamment des maladies du sang cancérologiques.

Q : Donc très occupé. Et d'ailleurs on vous surprenait en pleine consultation avec l'hôpital de Troyes, c'est ça?

R: C'est ça. J'ai créé le service d'hématologie de l'hôpital de Troyes, il y a 15 ans et je le dirige toujours. Vous avez pu l'entendre, étant de garde, je viens de procéder à une admission dans mon service pour une leucémie. Quand j'ai été nommé professeur de biotechnologie, à Paris, à l'École centrale, je n'ai pas voulu, pour des raisons familiales et personnelles, quitter Troyes, qui se trouve en fait à 1 h 15 de Paris. Je pense que les Nord-Américains me comprennent, ce n'est pas compliqué ce mode de vie pour eux. Et c'est très facile pour moi de venir sur le campus de l'École centrale. Je préfère diriger mon service médical à l'hôpital de Troyes, garder la qualité de vie à Troyes, tout en étant professeur dans la grande ville de Paris.

Q : Alors professeur, médecin, directeur d'un département, comment petit à petit avez-vous concilié toutes ces facultés, pour tomber dans la marmite du dopage et devenir quelque part une référence mondiale dans ce domaine-là ?

R: Quand j'étais étudiant en médecine, puis médecin junior, je jouais au rugby. J'y ai joué très sérieusement de l'âge de 20 ans à 35 ans. J'étais un joueur moyen pour le niveau français, mais j'ai eu une petite expérience internationale puisque pendant trois ans j'ai vécu en Nouvelle-Calédonie et en Australie. J'ai joué au rugby dans l'équipe de Nouvelle-Calédonie et j'ai participé aux Jeux du Pacifique en 1979, où nous avons gagné la médaille de bronze. J'ai donc eu l'expérience d'un rugby de très haut niveau, celui du Pacifique Sud, avec des Australiens et des Néo-Zélandais, les Samoans, les Tonguiens et les Fidjiens avec et contre qui j'ai joué. Quand je suis revenu en France, j'avais passé mes diplômes d'entraîneur de rugby. J'ai donc fini comme entraîneur-joueur de l'équipe de rugby régional de Troyes. Puis, j'ai été sollicité par les membres de l'équipe de France de rugby pour préparer la première Coupe du monde, puisque j'étais, entre guillemets, le plus scientifique des entraîneurs de rugby, sorti de l'École d'entraîneurs en France. De 1985 jusqu'en 1991, j'ai été responsable, dans les équipes de France de rugby, des deux premières Coupes du monde, de tout ce qui est l'organisation du suivi, des tests, de l'utilisation des outils biologiques et physiologiques pour apprécier la valeur des gens sur le plan sportif.

Q : Finalement vous étiez quelque part la petite souris à l'intérieur de l'antre du sport. Vous avez vu de près ces athlètes de haut niveau, vous les avez vu évoluer, souffrir, se réparer. Petit à petit, c'est comme ça que vous avez pris conscience que certains se réparaient plus vite que d'autres. Que certains prenaient des raccourcis. Est-ce là que vous avez eu une prise de conscience du phénomène du dopage ?

R : Je connaissais les enjeux du sport de haut niveau, puisque j'étais dans un sport de haut niveau qui est devenu professionnel, alors qu'il ne l'était pas il y a 15 ans, et qui s'est mondialisé avec cette Coupe du monde de rugby. À cause de ma profession de biologiste, j'ai commencé à utiliser certains outils dans un sport qui était vraiment très amateur. Ce sont les mêmes outils utilisés par les gens qui optimisent l'entraînement des athlètes et ceux qui les dopent. Qu'il n'y ait pas d'ambiguïté : la biologie est unique ; les outils pour faire de la biologie sont les mêmes. Quand vous voulez vérifier si quelqu'un est dopé, vous allez utiliser les mêmes outils que ceux qui dopent. Donc le concept de suivi biologique est né sur le terrain et non pas d'une réflexion scientifique. En fait, le corps humain relève de la biologie. Nous sommes des mammifères. Quand on fait faire beaucoup de sport à un corps humain, il se blesse ou il se surmène. La biotechnologie, les progrès en médecine nous donnent des moyens de nous réparer, mais également de court-circuiter le surmenage, et ça s'appelle le dopage. À partir de là, ce n'était pas très compliqué pour moi de savoir ce qu'il fallait faire, puisque je le vivais des deux côtés, en tant que professionnel dans la biotechnologie et en tant que sportif dans l'environnement du sport de haut niveau.

Q : Pendant toutes ces années, quelles ont été les histoires d'horreur que vous avez constatées ? Quel état des lieux avez-vous dressé au fur et à mesure et jusqu'à aujourd'hui ? Peut-on véritablement parler de faire un état des lieux du dopage avec tout ce que vous avez vécu, étape par étape ?

R : Les enjeux dans le sport de haut niveau se sont multipliés par dix, par cent, par mille. La pression que subissent les sportifs de haut niveau par rapport à la performance n'est pas discutable. À partir de là, comme la performance est liée au corps, l'acteur sportif d'un spectacle n'a de valeur que par rapport au moteur qu'est son corps. Il y a une relation totale. Il existait un arsenal dopant qui était, au départ, composé de stimulants, d'amphétamines, de corticoïdes, de stéroïdes. Le problème c'est que depuis 15 ans on voit une évolution très importante de ce que l'on appelle les biotechnologies. La biotechnologie, c'est quoi ? C'est la technologie qui rentre dans le vivant et qui permet de ne plus faire seulement de la chimie, qui est quelque chose d'extérieur, mais de faire de la biochimie. On rentre dans le vivant et à partir de là, on met en place des outils qui ne sont pas configurés pour le dopage, mais qui sont pourtant utilisés à cette fin. On a assisté à l'irruption des transfusions sanguines, qui étaient déjà utilisées en thérapie cellulaire, et qui sont plus faciles à utiliser que l'EPO. Aujourd'hui on utilise l'EPO, les hormones de croissance et puis, probablement si un frein n'est pas mis, si l'on ne trouve pas de solutions de transparence, ce sera les thérapies cellulaires. Et dans 10 ou 15 ans, les thérapies géniques.

Q : On y arrivera justement à l'avenir, au demain. Mais avant cela, vous avez parlé de l'athlète comme d'un acteur et c'est la question qui nous animait dans toute notre recherche. Finalement l'athlète d'aujourd'hui, est-il l'acteur ou la victime dans tout ce phénomène du dopage qui est venu complètement gangrener le monde du sport ?
R : Le sportif de haut niveau, c'est l'acteur du spectacle. Ce qui relève de la performance sportive, c'est le moteur humain. Dans le spectacle, dans le business autour du sport d'aujourd'hui, c'est clair que l'athlète n'est qu'un objet. Bien entendu, il peut être considéré comme coupable, mais il est surtout victime. Victime d'un système qui réclame sans arrêt la performance. En fait, tous les gens qui organisent ces spectacles sportifs sont concernés, même ceux qui les regardent. Il est bien évident que le spectacle peut demeurer le même, en tant que valeur sportive, que l'on

monte l'Alpe d'Huez à 30 km/h ou 40 km/h. La difficulté, c'est que dès que quelqu'un introduira la possibilité de le monter à 35 km/h, il sera devant. Donc là, il y a une espèce de surenchère. Et actuellement les technologies biologiques à disposition permettent cette surenchère. Donc, pour moi, le sportif n'est pas le seul coupable. C'est l'ensemble du système qui l'est.

Q: Vous disiez qu'on intervient dans le vivant, cela veut dire que, quelque part, certains de vos confrères, qui ont fait le même serment d'Hippocrate que vous, vont à l'encontre de leur propre éthique. Corrigez-moi si je me trompe, mais on a besoin nécessairement de scientifiques, de savants, de médecins pour arriver à contrôler, à encadrer ce sportif de haut niveau?

R: Bien entendu, il ne faut pas se leurrer, il ne faut pas être hypocrite. Si, depuis 40 ans, on est passés de l'utilisation ponctuelle de produits à des méthodes qui nécessitent des encadrements, c'est parce qu'il y a des scientifiques, des médecins qui sont associés au dopage. Ils l'étaient dans le dopage d'État des pays de l'Est, ils le sont plus ou moins dans le dopage économique des écuries internationales. Ces gens ont d'ailleurs les mêmes diplômes que moi. Il sont identifiés dans certains pays parce qu'il y a des variations de culture, des variations d'éthique selon les pays du monde. Et en fonction de ces éthiques, les questions ne se posent pas de la même manièrc. Et puis, bien entendu, il y a une pression financière énorme. Des gens qui savent très bien maîtriser la physiologie avec ces produits et ces méthodes modernes peuvent gagner beaucoup plus d'argent à le faire sur des sportifs, qui représentent un système économique solvable, que sur des patients pour lesquels la sécurité sociale ne fonctionne pas très bien et qui ne permet pas de payer ces traitements. On est là totalement dans une vision économique.

Q: C'est aussi une expérimentation fantastique pour un chercheur, pour un médecin qui serait un petit peu apprenti sorcier, non?

R: Je ne dis pas qu'il n'y a pas d'expérimentation, mais je pense que c'est tout de même un phénomène plus restreint. En tout cas

vis-à-vis des produits hi-tech et des compagnies pharmaceutiques. Il faut abandonner l'idée que les compagnies pharmaceutiques ont créé des produits pour le sport. Tous les
produits qui ont été déviés pour le dopage moderne n'ont pas
été imaginés pour les sportifs au départ. Dans les fonctions qui
sont les miennes, je suis consultant pour de nombreuses entreprises où nous fabriquons ces produits, nous travaillons sur ces
produits, sur ces méthodes, et je sais que c'est tellement lourd,
tellement compliqué. Il y a tellement d'enjeux dans la recherche
qu'on imagine pas ces compagnies prendre des risques pour
sciemment faire des produits pour le sport. Par contre, qu'il y ait
des centres d'études cliniques où l'on utilise ces produits sur des
populations de patients et où des lots de produits d'essai
disparaissent et sont distribués sur un marché parallèle, ça c'est
vrai. Par exemple, il y a une dizaine d'années, la plus grande
difficulté des responsables des études sur l'EPO, c'était de récupérer les lots d'EPO non utilisés dans les centres de recherches
cliniques.

**Q : Des produits qui disparaissaient et qui s'en allaient fort pro-
bablement dans le milieu sportif?**
R : Bien entendu. Je crois qu'il faut avoir le courage de le dire.
Donc, il n'y a pas aujourd'hui et c'est très clair de dopage à ce
niveau scientifique, sans la participation de gens compétents, bien
formés, dont certains sont connus et qui occupent des positions
publiques. Certains donnent des cours de physiologie, des cours
d'hématologie. D'ailleurs, ces personnes assistent aux mêmes
congrès que les autres. C'est là que l'on échange nos expériences.
Simplement la façon d'utiliser ces renseignements n'est pas la
même pour tous.

**Q : Je serai cynique mais je le fais exprès. Ça doit être frustrant
pour un chercheur comme vous, pour un médecin comme vous,
de voir que ces gens sont allés plus loin dans l'expérimentation
et ont utilisé ces machines fantastiques, ces Formule 1
modernes, que sont nos athlètes de haut niveau. On a essayé,
par exemple, une nouvelle pièce, un nouveau carburant, on a**

essayé de voir comment toute cette chimie allait fonctionner ensemble. C'est un peu ça que font vos fameux confrères...

R: Oui ils font ça. Mais c'est facile de faire ça. J'ai la certitude que l'on peut gagner plus facilement, alors que c'est tellement plus compliqué de gagner sans cela. Et c'est là qu'est la vraie recherche. La recherche en physiologie, c'est justement d'arriver à voir quelles sont les limites de notre espèce, sans ces courts-circuits. Mener quelqu'un sur un podium mondial ou dans une Coupe du monde, sans justement le court-circuit que constituent ces produits et ces méthodes, c'est beaucoup plus difficile, y compris en recherche.

Q: Mais comme dans *La Beauté du diable*, on veut signer avec Faust. On veut rester jeune éternellement. On veut nécessairement devenir le meilleur du monde, sans tous les courts-circuitages dont vous parlez...

R: Oui tout à fait d'accord. Ce qui a changé, c'est que vous avez la spirale des enjeux avec le meilleur du monde. Le problème, c'est que nous ne sommes que des mammifères supérieurs. Nous relevons du vivant et comme on a fait tout ce qui s'est fait en 40 ans et qu'aujourd'hui on a des courts-circuits de plus en plus efficaces qui touchent à notre propre structure, un jour ou l'autre, effectivement, on reprogrammera quelqu'un pour qu'il saute 3 m 50 en hauteur.

Q: Alors on y arrivera. Mais ne serait-on pas arrivés aux limites d'un athlète qui serait trop petit pour encaisser toutes ces exigences de performance qu'on lui demande? L'athlète, comme vous dites, est un mammifère, il a les limites d'un être humain, même s'il est déjà un être exceptionnel. Donc, nous sommes peut-être arrivés à la limite avec tous ces athlètes qui s'effondrent, ces athlètes en dépression, ces athlètes devenus toxicomanes. N'est-ce pas finalement là, la limite de l'intervention de ces apprentis sorciers?

R: Bien sûr! La limite est dépassée depuis une dizaine d'années, puisqu'on sait qu'avec l'EPO on augmentera de 30 à 40 % le taux de globules rouges. On peut faire un dopage de récupération par perfusion, par de l'insuline, des hormones de croissance, pour refixer immédiatement les acides aminés sur le plan musculaire. Ce qui veut dire qu'on peut enchaîner, par exemple, un match de football tous les trois jours. Cette limite est dépassée puisqu'on en voit les premières scories sur des sportifs qui ont entre 40 et 60 ans. Et même, on peut en voir sur des sportifs qui ont entre 15 et 25 ans. Maintenant, on voit des morts en direct, donc cette limite est dépassée. La pompe cardiaque est, je vous le rappelle, constituée de tissus musculaires. On l'hypertrophiera par des facteurs de croissance qui sont utilisés au niveau des muscles périphériques et, comme ces facteurs de croissance auront des effets sur tout l'organisme, ces gens ne pourront pas suivre sur le plan de l'exigence. Donc le cœur, après avoir connu un effet bénéfique, subira un effet négatif. Cette hypertrophie deviendra négative. C'est l'explication actuelle des décès. Mais le problème, c'est que ces athlètes ne meurent pas d'un produit dopant pendant le match; ils meurent des conséquences du surmenage et des produits dopants pris largement avant. Ce qui veut dire que l'on ne retrouve rien à l'autopsie, bien entendu. La mort est une conséquence. Donc, la limite est effectivement dépassée.

Q: Vous parliez tout à l'heure d'un show et des responsables de ce vaste spectacle planétaire. Vous dites donc que l'athlète est un acteur. Je vais transposer. Si j'étais un chanteur et que je devais faire le Stade de France demain, sûrement que je m'aiderais un petit peu, mais en me fixant une limite pour ne pas mourir. L'absurdité est là. Comment se fait-il que ces athlètes continuent? Comment se fait-il qu'avec cette épée de Damoclès au-dessus d'eux, avec le fait qu'effectivement ils puissent s'effondrer sur un terrain à 19-20 ans, pourquoi continuent-ils d'accepter de jouer ce jeu-là?

R: Parce qu'ils sont dans un système où l'exercice physique ne peut pas se contrôler comme on contrôle un exercice artistique. Lorsque, dans certains sports énergétiques, on est engagés complètement, on ne peut pas revenir en arrière. Et beaucoup d'athlètes ne sont pas issus de sociétés occidentales stables sur le plan économique. Pour eux, le sport est un moyen économique de progresser et donc la question ne se pose même pas. Pour eux, cela revient à se dire : « Il faut que je prenne ceci ou cela, il faut que je fasse ceci ou cela pour pouvoir pendant 5 ou 10 ans gagner suffisamment d'argent pour nourrir 30 ou 40 personnes en Afrique, ou 10 personnes en Roumanie. » Quand on vit dans un pays occidental, la question ne se pose pas. C'est une réalité que les athlètes expriment. Donc à partir de là, ils sont dans un cercle vicieux et c'est un choix du diable. Ils ont la possibilité de ne pas gagner et d'être en bonne santé et, à ce moment-là, ils seront rapidement exclus du système ou ils ont le choix de rentrer dans le système et de prendre le risque. Et dans ce risque, il y a effectivement celui d'y laisser sa peau.

Q : Est-ce la limite de votre intervention ? Un peu comme le patient qui ne veut pas se soigner ? Est-ce là le « constat d'échec » de la lutte antidopage ?
R : Actuellement, on ne peut demander à quelqu'un d'arrêter. La partie officielle de la lutte antidopage est basée sur l'utilisation d'un outil de contrôle toxicologique urinaire dont on sait qu'il ne voit pas plus de 10 % des problèmes, soit parce que techniquement il peut pas le faire, soit parce que les contrôles ne sont pas fait quand il le faut. C'est un débat qui peut nous mener très loin. La mise en place des suivis par prises de sang a permis d'avoir une meilleure idée de ce qui se passe. On a donc toutes les données sur les techniques et les méthodes. On a assisté, cinq ans avant, au retour des transfusions, par exemple, ou à l'utilisation des stimulations de croissance musculaire, indétectables dans les urines. Si l'individu ne veut pas arrêter, vous ne pouvez pas l'arrêter puisqu'il n'est pas officiellement dopé. Donc, tant que les réglementations n'auront pas changé, tant que le concept de la lutte antidopage n'aura pas changé, on ne changera pas le dopage.

Q : Donc on continue à jouer aux gendarmes et aux voleurs avec une règle du jeu tacite ?
R : Plus ou moins tacite. Beaucoup d'autorités ne veulent pas savoir. Je pense qu'un des problèmes, et c'est pas la faute des gens qui dirigent le sport, c'est que les fédérations nationales et

internationales n'ont pas les compétences humaines, scientifiques et technologiques pour y faire face. On se sert d'un outil qui a été imaginé il y a 40 ans, quand les cyclistes prenaient des amphétamines, et c'est toujours le même concept qui prévaut. On a fait des progrès sur le plan des contrôles des urines, mais c'est toujours le même concept. Or, aujourd'hui, on sait fabriquer des produits que notre propre corps synthétise comme l'EPO et les facteurs de croissance musculaire. À partir de là, il n'y a pas de solutions. Si l'on veut vraiment changer les choses, il faut changer le concept antidopage. Je sais que l'Agence mondiale antidopage réfléchit à cette approche différente, parce que si on reste dans le contrôle, on permettra de laisser se produire une véritable biotech de reprogrammation. Et à partir de là, les choses seront très compliquées.

Q : Justement, parlons des hommes bioniques, des sportifs de demain. En est-on déjà là ? A-t-on déjà affaire à ces athlètes reconstitués, reprogrammés comme vous dites ? Ces athlètes que l'on pourra construire artificiellement à un moment donné ?

R : On n'en est pas loin. Actuellement, on parle de réparation musculaire biologiquement assistée. Des gens sont entraînés avec des appareillages qui solliciteront leurs muscles sur des segments précis. D'un monitorage par prises de sang, on va jusqu'à la limite de ce que permet la variation des paramètres avant que ça ne casse vraiment. On utilisera des facteurs de croissance pour que les blessures cicatrisent plus vite. Ou bien utiliser, comme je l'ai déjà dit, une réparation biologiquement assistée entre les entraînements et les compétitions. On raccourcira les temps de récupération par des méthodes médicales, par une forme de réanimation sportive, et ce, en utilisant l'apport d'acides aminés des facteurs de croissance. On reconstruira le muscle. Et on y est déjà. Donc la prochaine étape, c'est la thérapie cellulaire. Pouvoir créer du muscle, du tendon par exemple, de façon à réparer, et peut-être pour préparer ou pour renforcer quelqu'un qui a un potentiel un peu insuffisant par rapport aux cahiers des charges. Et puis, bien entendu, on a des modèles animaux qui nous permettent de faire de la thérapie biogénétique par renforcement. Puisqu'on sait le faire sur des souris ou des rats, on sait agir sur la croissance musculaire ou tendineuse, par exemple. Les modèles animaux existent. On aura donc des gens qui auront un développement musculaire ou un développement tendineux adapté à la contrainte.

Q : Ça veut donc dire qu'on trouvera un profil de joueur de basket, un profil de joueur de rugby, de hockeyeur, etc. Pour chaque sport, il y aura une intervention bien particulière. C'est ça que vous êtes en train de nous dire ? On est en train de bâtir, par ces manipulations génétiques, un athlète sur demande ?

R : Oui. Depuis 30 ou 40 ans, les progrès de la physiologie permettent de savoir ce qu'il faut faire pour être à la hauteur dans chaque discipline, y compris avec la préparation mentale et le profil psychologique. En terme d'ingénieur, ça s'appelle l'analyse de la valeur. Les différents paramètres dans l'analyse de la valeur pour tel produit ou tel objet sont adaptés aux contraintes. On prend par exemple le basket. On analyse la valeur et les gestes du basketteur pour les nécessités de la performance. Il y a aussi des paramètres morphologiques, biomécaniques, énergétiques, psychologiques. Tout ça peut être analysé, déterminé. Et comme on est rentrés dans le mécano-biologique, on pourra toucher aux pièces de la Formule 1 humaine. On le fait très bien dans une vraie Formule 1. Quand les plaquettes ne sont pas bonnes, on les change ; quand le bloc-moteur ne va pas parce qu'il y a un tremblement, on change le bloc-moteur. Ce système est déjà en embryon pour la machinerie humaine.

Q : C'est le Dr Frankenstein que vous êtes en train de me dépeindre…

R : Oui, mais ce n'est pas du tout de la science-fiction. Vous savez que 1 000 sportifs ont déjà bénéficié – et ce n'est pas du dopage – de thérapies cellulaires cartilagineuses. On a pris un bout de leur cartilage, on a mis les chondrocytes en expansion cellulaire (ce sont les cellules qui fabriquent le cartilage), on les a multipliées par millions grâce à des facteurs de croissance. Puis, on met tout cela dans une forme de polymère et on remet le tout dans l'articulation. C'est une biotechnologie qui se fait à l'échelle mondiale et 4 000 personnes en ont déjà bénéficié. On est dans la réparation. On peut parfaitement imaginer la même chose pour d'autres tissus, mais cette fois pour la préparation.

Q : Donc on a un service après-vente déjà prêt. On achète la belle Formule 1 comme vous dites, et on a déjà le service des pièces et d'amélioration. C'est ce qui existe au moment où l'on se parle ?
R : Ah oui, tout à fait, oui ! C'est déjà industrialisé. Les phases 3, comme on dit, de thérapies cellulaires tendineuses et musculaires sont déjà existantes. Et comme le sport de haut niveau est un système économique en lui-même, donc un vecteur d'aide à la recherche, mais également un vecteur de consommation, on peut se payer ces technologies très innovantes, puisque c'est une structure économique. Je crois qu'en 2000 l'INSEEC, qui est une grande école commerciale en France et a créé une chaire de marketing sportif depuis deux ans, a estimé que pour cette année-là, les montants des transactions confondues, directes et indirectes, sur le sport de haut niveau, étaient de 2 000 milliards de dollars. C'est-à-dire 5 % des échanges économiques. Sur le plan de l'achat de ces technologies, c'est un domaine qui est infiniment plus solvable que les fonds mutuels et les assurances santé.

Q : On n'est plus, on ne sera plus, dans les problématiques de dopage si je vous entends bien. On s'autorépare.
R : Bien entendu. On aura une phase de transition. On passe d'une approche de règles, de triche, d'une activité qui s'appelle le sport à une transition économique. Ces technologies biologiques plus la transition économique font en sorte que l'on arrivera à une dimension différente, où le problème éthique ne sera plus posé. Que veut-on faire de cette activité humaine qui réunit les gens devant la télévision, qui s'appelle le sport et qui est un spectacle ? Quand on aura répondu, vous verrez des hommes bioniques ou pas. Le problème n'est pas de savoir si on les aura ou pas. Le problème est de savoir qu'on pourra le faire.

Q: Quelle sera la vraie nature de cet athlète-là par exemple, comparé à ceux qui se sont « mouillés le maillot », comme on dit chez vous ? Quelle sera sa vraie nature ? Que restera-t-il finalement de ce fameux être humain dont nous parlions tout à l'heure ?

R: Prenons l'exemple du sauteur en hauteur. On sait que l'espèce humaine dispose d'une myosine, une protéine du muscle qui a une explosivité de temps. On sait que parmi les mammifères, l'homme n'est pas le meilleur. Mais il y a des gènes qui contrôlent cette myosine. On peut très bien imaginer que l'on veuille transférer ce gène d'une espèce mammifère, par exemple les rongeurs, qui sont très explosifs en terme de myosine, à l'homme. On pourrait programmer le quadriceps, les muscles de la cuisse et du mollet, d'un sauteur en hauteur. Il sera programmé pour faire du saut en hauteur. Le problème, c'est que tout notre organisme a évolué par rapport à la gravité et à cette potentialité. Donc, comment l'individu à qui l'on fera cette greffe génique réagira-t-il à ça ? On n'en sait rien. On est en pleine expérimentation. Ça veut dire qu'il pourra peut-être sauter 3 ou 4 mètres ou peut-être qu'il ne pourra plus aller faire ses courses au supermarché parce qu'il aura du mal à marcher. Et comment s'acceptera-t-il sur le plan psychologique ? On oublie que nous ne sommes pas que des machineries humaines. Nous avons tout de même un computer qui réfléchit et prend de la distanciation. C'est véritablement un problème d'éthique et non pas uniquement un problème de dopage. Si l'on fait ça à des sportifs en 2030 ou en 2040 pour un spectacle lucratif, on aura dérapé partout ailleurs ! C'est ça qu'il faut savoir. C'est que le sport, en fait, n'est qu'un élément de cristalisation de la manipulation de l'espèce. Si l'on fait ça à des sportifs qui l'acceptent pour un spectacle, on aura dérapé ailleurs…

Q: Cyniquement, on pourrait dire : « On n'arrête pas le progrès ! » C'est une phrase galvaudée, mais dans ce cas précis, on ne peut pas arrêter… Au début de l'entrevue, vous faisiez un diagnostic par téléphone… on ne peut pas arrêter la science qui doit en premier lieu soigner le malade.

R : Tout à fait, on ne peut pas l'arrêter. C'est pour cela que ce sujet, qui peut paraître anodin par rapport à tout ce qui se passe sur la planète, est un sujet de fond pour l'espèce humaine. Ça ne concerne pas que les sportifs et le dopage des sportifs. Ça nous concerne tous ! À partir du moment où l'on pourra moduler les choses, il y aura des gens qui voudront se moduler à titre personnel, et pas uniquement pour faire du sport.

Q : Donc on clonera des Carl Lewis et des Muhammad Ali et des choses comme ça ?
R : Donc le clonage thérapeutique est envisagé. Mais qui dit clonage thérapeutique dit faire du clonage reproductif. Je crois qu'il faut arrêter le débat. Il faut savoir ce que l'on veut faire. Rien n'empêche de dire qu'on peut cloner Carl Lewis, en avoir plusieurs copies. Et même essayer, en 2020-2030, d'améliorer les clones de Carl Lewis. On est à l'ébauche d'un monde nouveau qui échappe totalement à ce que l'on peut envisager et imaginer sur le plan conceptuel, parce que la technologie et la biotechnologie nous permettent de rentrer dans le système vivant. On peut court-circuiter le sens même de l'évolution de l'espèce, et pas seulement dans le sport.

Q : Et si on abandonnait tout ça finalement ? Si vous retourniez à Troyes, vivre paisiblement à vous occuper de votre département, et d'oublier qu'il y a peut-être du dopage dans le milieu du sport ?
R : C'est une bonne question. D'ailleurs, je me la pose très souvent. Le problème c'est que je suis à la tête d'un département de biotechnologie dans une des grandes écoles de mon pays, la France. Je ne suis qu'un acteur de l'application. Par exemple, sauver un malade qui a une leucémie grâce à ces technologies, c'est quand même extraordinaire ! Le problème, c'est que je suis pleinement conscient qu'en utilisant cette même technologie, on peut faire autre chose. Cela demande une espèce de réflexion, de décodage permanent pour permettre à l'ensemble des sociétés de faire face à l'accélération qui est en train de se produire. Nous avons vécu depuis une vingtaine d'années la société de

communication qui a raccourci la planète. Maintenant, on entre dans une société de l'introspection biologique et pas seulement pour l'espèce humaine, mais pour toutes les espèces vivantes. La biotechnologie concerne toutes les espèces vivantes. Elle touche totalement notre écosystème. Et nous sommes dans l'écosystème. Donc je suis un acteur et je suis dans le même bateau que les autres. J'essaie simplement d'expliquer que ce n'est pas de la science-fiction. On y est.

Q : Vous installerez-vous devant votre télévision ou dans un stade quand on courra le 100 m en 1 seconde et demie, ou qu'on passera les 6 ou 7 m en saut en hauteur...
R : On ne courra pas le 100 m en 1 seconde et demie, parce qu'en fait on a déjà les modèles par rapport à la puissance embarquée vis-à-vis de l'axe mécanique, de la taille des gens. On pense qu'avec les moyens actuels, à partir de 9,80 secondes les problèmes seront la résistance au sol et la pénétration dans l'air. Vous voyez, il y a des gens qui ont déjà planché sur ces modèles.

Q : Vous êtes en train de me dire qu'on travaille déjà à l'aérodynamique d'un sprinter, parce que sinon il décollerait ?
R : À un moment donné, si l'on arrête pas les surenchères biotechnologiques, le problème du sprinter sera d'accrocher au sol avec les bonnes chaussures. Ce sera un problème d'interface entre la chaussure et la piste. Il faudra probablement réinventer soit des chaussures soit des pistes différentes, parce que le sprinter aura trop de puissance. Il aura donc un problème de tenue de route. C'est un peu, d'ailleurs, le problème des mammifères quadrupèdes qui vont très très vite dans la savane, quand ils n'ont pas le bon terrain, ils font des dérapages. Eh bien, le sprinter risque de déraper.

Q : Je vais vous ramener à quelque chose de plus proche de nous, c'est-à-dire les Jeux olympiques d'Athènes. Dans toute cette configuration de lutte contre le dopage, vous vous attendez à quoi avec ces jeux-là ?

R : Je pense beaucoup que l'Agence mondiale est l'outil, et même si elle est décriée, elle a au moins le mérite d'exister. Première-ment, il faut harmoniser les règles, et deuxièmement, il faut mettre en place des procédures qui soient réalisables. Je suis un pragmatique. Il vaut mieux un bon compromis qu'un mauvais consensus. Il aurait fallu faire des moratoires sur les records. Par exemple, dans les sports chronométrés, il aurait fallu permettre, ou le permettre maintenant, des espaces de liberté pour que les athlètes puissent parler. Malheureusement pour l'instant, ça ne s'est pas fait. En athlétisme, certaines fédérations scandinaves ont voulu que l'on supprime les records, ça ne s'est pas fait. Alors pour les prochains Jeux, le problème sera très simple. Si notre ami de Saint-Barthélemy gagne le 100 m en 10,15 secondes et alors on aura des Jeux olympiques à peu près contrôlés ou si ce sont des représentants des écuries nord-américaines qui gagnent en 9,90 secondes, là on saura qu'il n'y a pas eu de contrôles antido-page véritablement efficaces.

(À Athènes, deux Américains ont terminé sur le podium. Ils étaient trois dans les quatre premiers : Justin Gatlin, Maurice Greene et Shawn Crawford. Cinq des huit finalistes ont terminé sous la barre des 10 secondes, avec des temps de 9,85 ; 9,86 ; 9,87 ; 9,89 ; 9,94. Du jamais vu !)

Q : Le test sera celui-là, finalement ?
R : Bien sûr. Tous les modèles que nous avons indiquent que grosso modo, pour le 100 m masculin, c'est autour de 10 secondes. En-dessous de 9,95 tout indique que les gens étaient dopés, y compris ceux qu'on pensait qui ne l'étaient pas, d'ail-leurs ! On a vu qu'un garçon de 65 kg, en 2003, pouvait gagner en 10,15. Il a gagné ! Tous les autres, soit ils n'ont pas couru, soit ils se sont blessés, soit ils ont été éliminés, volontairement ou involontairement. Ce qui veut dire que si ce garçon est éliminé en demi-finale, alors qu'il n'est pas blessé, qu'il s'est bien préparé et qu'il court à son niveau, ça veut dire que l'on n'a pas pu contrôler efficacement les méthodes de dopage qui permettent aux autres de le battre et qui leur auront permis de le battre jusqu'à maintenant.

Q : Si l'on est dans cette configuration de dopage, on n'a pas les tests, pas les contrôles pour voir si tel ou tel athlète qui courra plus vite a déjà été modifié. Donc cette bataille-là aussi est perdue. Comme vous dites, on verra du 9,90, mais voilà…

R : Non la bataille n'est pas perdue, parce que c'est plus un problème de technologie. Face à la technologie, vous pouvez mettre aussi de la technologie. Et ça s'annule, ça fait zéro. C'est simplement un problème de décision. Si les gens veulent qu'il n'y ait pas de dopage, il suffit de le décider.

Q : Mais qui doit intervenir ? Êtes-vous d'accord avec ceux qui disent que confier la lutte antidopage aux sportifs, c'est confier le poulailler à un renard ?

R : Le problème n'est pas de dire que le monde sportif doit lutter contre le dopage. Le problème est que le monde sportif n'a pas pu le faire, car il n'en a pas les moyens scientifiques, technologiques et économiques, parce que c'est très compliqué. On vient de le voir. À partir de là, est-ce que ce problème en est un qui relève des sociétés, de la communauté internationale, ou est-ce qu'il n'en relève pas ? C'est un problème qui interpelle l'ensemble des sociétés organisées, et donc la communauté internationale. C'est pour cela que la moins mauvaise réponse c'est de mettre sur pied un organisme international qui aurait le même statut que l'ONU. Même si l'on peut penser que l'ONU a du mal à bien faire son boulot, elle a le mérite d'exister. Donc on mettra 10 ans, 20 ans, 30 ans, 40 ans peut-être ! Peut-être qu'il y aura des prises de conscience sur l'absurdité de voir quelqu'un qui monte un col plus vite qu'une mobylette ou qui saute 3 m 50 en hauteur. Cette absurdité sera tellement criante qu'à un moment donné on constatera une désaffection des spectateurs. Peut-être qu'à cause des morts à la fin d'une carrière ou sur le terrain, les responsables des puissances publiques vont s'émouvoir. Je n'en sais rien. Je n'ai pas les réponses…

Q : Ce que vous dites c'est que la communauté scientifique doit prendre les choses en main et agir. La solution ne serait-elle pas d'avoir une espèce d'organisation de Casques bleus scientifiques qui interviendrait ?

R : Effectivement. C'est ce que j'ai préconisé à plusieurs reprises. J'ai dit qu'il faut avoir un environnement avec une assistance médicale et scientifique transparente auprès des sportifs de haut niveau pour faire une traçabilité de leurs préparations et cela dans un seul souci : donner une labellisation de la performance. Aujourd'hui toute performance est suspecte, parce que les contrôles tels qu'ils sont pratiqués ne peuvent pas empêcher les choses.

Q : Il faudrait une espèce de GPS de la santé que l'on mettrait à l'intérieur de chaque athlète de haut niveau pour savoir comment est fait son code, comment son système fonctionne et évolue.
R : Voilà. Le seul moyen de faire ça est de changer de concept. Et ce changement ne peut venir que par une structure indépendante, au-dessus des parties et qui surtout n'est pas juge et partie. Ce qui est actuellement le cas des autorités sportives y compris du CIO. À partir de là, cela permettrait aux scientifiques d'avoir un vrai débat transparent vis-à-vis des sociétés sur ce que l'on peut faire et ne pas faire à ces sportifs, par rapport aux progrès de la science. Sinon, tout sera toujours masqué et avec des risques de dérapages catastrophiques. C'est un agencement d'une agence antidopage comme celle qui existe avec un environnement scientifique crédible, mais qui n'est pas tributaire des autorités sportives. Et beaucoup de scientifiques sont prêts à jouer le jeu. Beaucoup d'entre eux ont un comportement normal, dans le domaine des biotechnologies, et beaucoup de sociétés internationales pharmaceutiques sont prêtes à participer à cela. Donc tout est prêt. Il faut effectivement une forme de saisine de la communauté internationale. Est-ce que ce sujet mérite une saisine, alors que d'autres problèmes ne sont pas réglés ? Là je ne suis pas compétent.

Q : Pour conclure, puisque nous sommes au XXIᵉ siècle et que vous avez déjà parlé de 2020-2030, êtes-vous fondamentalement optimiste, pessimiste ou cynique ? Car d'un côté, il y a des sommes colossales engagées dans ces spectacles dont vous

parliez et, de l'autre côté, il nous reste encore quelques valeurs, même si elles se sont émiettées au quotidien. Et si tout simplement on abolissait le serment de l'athlète ? « Vive le grand show et vive le grand cirque Barnum ! », c'est ce que disent certains, d'ailleurs. Qu'en pensez-vous ?

R : Je n'ai pas de cynisme par rapport au spectacle sportif, car il met toujours en jeu le corps humain et, en fonction des circonstances, c'est toujours émouvant. J'ai toujours été dans le sport et j'y suis toujours. Je suis maintenant un des dirigeants, du côté médical, de ma ligue professionnelle de rugby en France. Je suis complètement impliqué. J'essaie de faire ce que je peux. Je n'ai pas de cynisme. Par exemple, j'ai assisté au match France-Angleterre il y a quelques semaines, ça reste un spectacle incroyable. Et ça c'est une des vertus du sport. Je ne suis pas pessimiste non plus. L'optimisme qui est le mien est lié à une chose simple. Le jour où quelqu'un sautera à 3,50 m de hauteur, une grande partie des gens qui verront cela dans leur télé trouveront cela tellement absurde qu'ils n'y croiront plus. Si l'on ne contrôle pas ce qui se passera, les terrains de foot deviendront trop petits et il n'y aura plus de jeu de rugby, par exemple.

Q : Ne pourrait-il pas y avoir deux stades ?

R : On peut tout imaginer. Avoir deux stades ou quatre stades. Le problème, c'est que ça posera des problèmes techniques. Je pense qu'on peut être optimiste par l'absurde… C'est mon optimisme à moi.

Conclusion

Les plus fatalistes diront que le dopage dans le sport est inévitable, qu'il existera aussi longtemps que l'homme sera en compétition permanente. D'autres rajouteront qu'il sera de plus en plus sophistiqué. Les «Don Quichotte» de la lutte contre le dopage continueront d'être tantôt les garde-fous, tantôt les bonnes consciences des gouvernements. À l'heure où le dopage génétique n'est plus du domaine de la science-fiction, il est important pour le sport de se redéfinir. Les valeurs, chères au baron Pierre de Coubertin, le père de l'olympisme moderne, ne sont-elles pas aujourd'hui désuètes?

Les valeurs des riches notables du XIXᵉ siècle qui se réunissaient pour essayer de graver leur nom dans un livre d'Histoire, ces même valeurs sont aujourd'hui défendues par le club très sélect des monarques olympiques.

L'athlète d'hier était presque un artisan. Aujourd'hui, il est une PME sur deux jambes. Le sport et le CIO en tête gèrent des budgets quasi étatiques et la logique mercantile est de mise. Comment peut-on alors continuer à véhiculer ces valeurs d'un autre temps? Comment demander à l'athlète de prêter un quelconque serment, alors que la plupart d'entre eux passent autant de temps à s'entraîner qu'à chercher de nouveaux commanditaires garants de leur avenir? Le sport du XXIᵉ siècle est avant tout un spectacle, un divertissement planétaire avec des acteurs, des comédiens, des metteurs en scène, des agents… Pourquoi, dans cet esprit, ne pas abandonner l'idée de tricherie, de duperie qu'on accole au dopage? Alors que l'hypocrisie est à l'ordre du jour des principaux sports et que leurs responsables découvrent à chaque fois, atterrés, ébahis un nouveau cas de dopage qu'ils n'arrivent pas à expliquer, pourquoi ne pas montrer le vrai visage du sport ? Celui d'un sport devenu de plus en plus exigeant à cause de commanditaires qui revendiquent le plus de visibilité possible en échange de salaires faramineux ; celui de ces dirigeants sportifs qui veulent s'offrir les meilleurs machines et appliquer sur elles le plus grand nombre d'autocollants !

On ne parle plus de performances, mais de rentabilité. On ne dit plus un engagement, mais un contrat à durée déterminée pour mieux contrôler, mieux presser ce fruit exceptionnel avant de le jeter et de passer à un autre. *Le Salaire de la peur, On achève bien les chevaux,* deux films à saveur de métaphore pour décrire l'athlète d'aujourd'hui et sa réalité. Dans un cas, il s'agit de transporter de la nitroglycérine sur un terrain chaotique en échange de la liberté, dans l'autre, de danser jusqu'à en mourir pour gagner la bourse.

Dans ce contexte, l'idée d'abandonner la notion de dopage est légitime. Que les médecins hypocrites qui dérogent à l'heure actuelle à leur serment le plus fondamental puissent faire de la médecine assistée pour ces sportifs obligés à un dépassement artificiel est une réalité.

Sinon, les morts s'accumuleront avec leurs lots de raisons plus ou moins fallacieuses. Cessons donc cette confusion des genres et redonnons une définition au sport du XXIe siècle. De même que les performances du monde des arts ne sont pas soumises à de quelconques contrôles de dopage, celles du sport, devenu usine à spectacle, devraient subir le même traitement. Car, dans cette course surréaliste à l'amélioration de la performance, on ne saura plus dans un avenir très proche distinguer un cas de dopage ou un autre. Avec les manipulations génétiques qui existent déjà, où l'on répare tel ou tel ligament en laboratoire pour le réintégrer plus performant et plus résistant dans l'organisme de l'athlète, comment pourra-t-on parler de dopage ?

En extrapolant, l'athlète n'attendra pas d'être réparé pour bénéficier d'amélioration génétique. Que fera-t-on alors ? De la répression avec une police des gènes ?

Ceux qui ont voulu judiciariser les affaires de dopage et faire des athlètes des criminels qu'on jette en prison n'ont pas eu les résultats escomptés. Ils ont juste permis à ce que l'omerta s'enlise encore plus profondément dans ces eaux « nauséabondo-sportives » !

Ceux qui pensent que tous les « parias » du sport que j'ai rencontrés en 10 ans seront légion, et que le merveilleux monde se purifiera, devraient sans doute songer à une reconversion.

À propos de songes et de rêves, le spectacle que continuent à offrir ces magnifiques machines sportives m'émerveille et continuera à m'émerveiller, même si je sais quel est aujourd'hui le prix à payer pour ces nanosecondes de gloire.

Cc livre se voulait un recueil de réflexions de toutes sortes. Un outil peut-être pour ouvrir le débat. Il ne s'agissait pas de faire un tour exhaustif de la question, pas plus qu'avoir la prétention de faire un état des lieux.

Toutes ces rencontres que j'ai eu le privilège d'avoir avec ces témoins, acteurs ou victimes du dopage n'ont eu qu'une vie radiophonique (série de reportages que la radio de Radio-Canada m'a permis de faire). J'ai voulu leur donner une seconde vie. Une nouvelle place. Une nouvelle audience.

Citations célèbres

« Les coureurs montent aujourd'hui plus vite qu'ils ne descendent. » Christophe Basson, cycliste.

« On m'a fait tout ça de mon plein gré à mon insu. » Richard Virenque, cycliste.

« Autant penser qu'un pigeon va me chier dessus en sortant d'ici. » Coureur anonyme, certain de passer au travers des contrôles du Tour de France.

« Putain, Willy, comme j'étais bien! Heureusement que tu m'as stoppé à l'arrivée sinon je continuais jusqu'à Lille. » (Lille est à plus de 100 km de Paris!) Autre coureur anonyme, à son arrivée de la dernière étape du Tour de France à Paris, après que le soigneur Willy Voet lui eut injecté de la dope en pleine course.

« L'EPO n'est pas plus dangereuse que 10 litres de jus d'orange. » Le célèbre Dr Michele Ferrari (médecin qui s'occupait entre autres de Lance Armstrong) et récemment condamné par la justice italienne.

« Quand tu commences à te mettre ça dans le cul, il est temps de resserrer les choses. » Philippe Boyer, cycliste (*Champion, flic et voyou*).

« Le vélo se reconstruira dans la vérité. » Bruno Roussel, ancien directeur sportif de Festina.

« Avant l'EPO, je faisais du vélo. Avec l'EPO, j'ai eu l'impression de rouler en moto. » Erwann Menthéour, cycliste (*Secret défonce. Ma vérité sur le dopage*).

Remerciements

Je veux ici remercier les sommités mondiales de la lutte contre le dopage, les cyclistes Philippe Gaumont, Philippe Boyer, Jérôme Chiotti, le soigneur Willy Voet, le coureur de fond Stéphane Desaulty, la skieuse Brigitte Chaboud pour son rare témoignage, Jacques, le joueur de soccer, et Patrick, le joueur de tennis.

Merci aussi à ceux qui m'ont aidé : la journaliste Catherine-Lune Grayson et le journaliste de la CBC Mathew Watkins, et bien sûr la Direction de l'information de la radio de Radio-Canada.

Bibliographie

BALLESTER, Pierre, et David WALSH. *L.A. CONFIDENTIEL. Les secrets de Lance Armstrong*, Paris, Éditions de La Martinière, 2004.

BOYER, Philippe. *Champion, flic et voyou*, Paris, Éditions de La Martinière, 2003.

CHIOTTI, Jérôme. *De mon plein gré !*, Paris, Calmann-Levy, 2001.

MENTHÉOUR, Erwann. *Secret défonce. Ma vérité sur le dopage*, Paris, Jean-Claude Lattès, 1999.

MONDENARD, Jean-Pierre de. *Dictionnaire des substances et procédés dopants en pratique sportive*, Paris, Éditions Masson, 1991.

ROUSSEL, Bruno. *Tour de vices*, Paris, Hachette Littératures, 2001.

VOET, Willy. *Massacre à la chaîne. Révélations sur 30 ans de tricheries*, Paris, Éditions Calmann-Levy, 1999.

VOET, Willy. *Sexe, mensonges et petits vélos*, Paris, Éditions Calmann-Levy, 2000.